フクシマ後10年

40編のエッセイで綴るエネルギーの未来

橘川武郎 著

文眞堂

目次

序章　フクシマ後10年とWEBコラム「インパクト」

本書を執筆しているのは２０２０（令和２）年７月であり、まもなく、２０１１（平成23）年３月11日に発生した東日本大震災にともなう東京電力・福島第一原子力発電所の事故から、10年の歳月が経過する。福島第一原発事故の爪あとは深く、今日においても多くの元住民が避難生活を余儀なくされている。

福島第一原発事故を契機にして、日本のエネルギー政策は、ゼロベースで見直されることになった。事故後10年のあいだに、この見直しは進んだのであろうか。期待されたエネルギー改革は、進展したのであろうか。これが、本書で検証する基本的な問いである。

問いの検証にあたって本書で手がかりとするのは、12年10月から20年７月にかけて筆者（橘川）が「世界経済評論ＩＭＰＡＣＴ」（以下、「インパクト」と表記）に寄稿した、エネルギー・環境問題に関する40編のエッセイである。「インパクト」は、国内外の重要な課題について１００余名の論者がさまざまな切り口から自由闊達に発信するＷＥＢコラムであり、筆者も、「資源・エネルギー」の分野を中心に不定期で寄稿を続けている。

「インパクト」は、社団法人世界経済研究協会の手で、12年8月に発信を開始した。15年11月の同協会の解散によっていったんは発信を停止したが、その後、一般財団法人国際貿易投資研究所（ＩＴＩ）が「インパクト」の事業を引き継ぐことになり、株式会社文眞堂の協力も得て、発信を再開して、今日にいたっている。

筆者が12年10月~20年7月に「インパクト」を通じて発信したエネルギー・環境問題に関する40編のエッセイのリストは、以下のとおりである。発信時点順に番号を付してあり、本書では個々のエッセイを特定する際に、この番号を使用する。なお、世界経済研究協会が「インパクト」を主宰していた時期のエッセイ1~9のＵＲＬについては、現在ではアクセスできない。

＊　＊　＊　＊　＊

1　「『２０３０年代原発ゼロ』方針の問題点」、２０１２年10月22日発信。
http://www.sekaikeizai.or.jp/active/article/121022kikkawa.html

2　「エネルギー戦略決定の節目の年となる２０１３年」、２０１３年２月４日発信。
http://www.sekaikeizai.or.jp/active/article/130204kikkawa.html

3　「エネルギー政策見直しで堅持すべき四つの視点」、２０１３年４月29日発信。
http://www.sekaikeizai.or.jp/active/article/130429kikkawa.html

4　「元に戻る再稼動か、減り始める再稼動か」、２０１３年８月19日発信。
http://www.sekaikeizai.or.jp/active/article/130819kikkawa.html

5　「電力システム改革は東電大リストラから始まる」、２０１３年９月９日発信。
http://www.sekaikeizai.or.jp/active/article/130909kikkawa.html

6　「極東ロシアのエネルギー事情」、２０１４年１月13日発信。
http://www.sekaikeizai.or.jp/active/article/140113kikkawa.html

7　「新しい『エネルギー基本計画』でも晴れない先行きの不透明感」、２０１４年４月28日発信。
http://www.sekaikeizai.or.jp/active/article/140428kikkawa.html

8　「変容しつつも継続するシェール革命」、２０１４年７月21日発信。
http://www.sekaikeizai.or.jp/active/article/140721kikkawa.html

9　「メタンハイドレートの商業生産開始は可能か」、２０１４年11月10日発信。
http://www.sekaikeizai.or.jp/active/article/141110kikkawa.html

10　「今、日中エネルギー協力の可能性」、２０１５年11月24日発信。
http://www.world-economic-review.jp/impact/article4.html

11　「シェールＬＰガス革命の進行」、２０１６年２月８日発信。
http://www.world-economic-review.jp/impact/article590.html

12　「高圧直流送電の可能性：スウェーデンで学んだこと」、２０１６年７月４日発信。

http://www.world-economic-review.jp/impact/article665.html

13 「トランプ新大統領とエネルギー・環境政策への影響」、２０１７年2月6日発信。
http://www.world-economic-review.jp/impact/article793.html

14 「二国間クレジットと石炭火力発電のゆくえ」、２０１７年5月15日発信。
http://www.world-economic-review.jp/impact/article840.html

15 「日本のエネルギー産業の成長戦略：新地平拓くベトナムでの二つのプロジェクト」、２０１７年5月29日発信。
http://www.world-economic-review.jp/impact/article851.html

16 「石油業界の経営統合：『世界と戦う』ための出発点」、２０１７年8月14日発信。
http://www.world-economic-review.jp/impact/article896.html

17 「ヨーロッパの水素・天然ガス事情」、２０１７年11月13日発信。
http://www.world-economic-review.jp/impact/article951.html

18 「アメリカの天然ガス事情」、２０１７年11月20日発信。
http://www.world-economic-review.jp/impact/article954.html

19 「温室効果ガス80％削減は国際的対策で」、２０１８年2月12日発信。
http://www.world-economic-review.jp/impact/article1011.html

20 「バングラデシュの国難：緊迫するガス事情」、２０１８年4月16日発信。

http://www.world-economic-review.jp/impact/article1058.html

21 「スウェーデンの岩盤研究所で感じたオンサイト中間貯蔵の重要性」、２０１８年5月7日発信。

http://www.world-economic-review.jp/impact/article1070.html

22 「台湾プラスチック麥寮コンプレックスの迫力と日本企業」、２０１８年7月9日発信。

http://www.world-economic-review.jp/impact/article1106.html

23 「ＣＨＰ（熱電併給）とＤＨ（地域熱供給）：エネルギー対策先進国では何が起きているのか」、２０１８年11月12日発信。

http://www.world-economic-review.jp/impact/article1204.html

24 「ＣＣＳ（二酸化炭素回収・貯留）＆ＥＯＲ（石油増進回収）とアンモニア」、２０１９年2月25日発信。

http://www.world-economic-review.jp/impact/article1293.html

25 「豪州の炭鉱で進むイノベーションと大胆な跡地利用構想」、２０１９年7月22日発信。

http://www.world-economic-review.jp/impact/article1421.html

26 「エクソンモービル・ベイタウン製油所で見たもの：巨額投資計画の背景にある自信」、２０１９年7月29日発信。

http://www.world-economic-review.jp/impact/article1432.html

27 「シェールガス革命とコーブポイントＬＮＧ基地」、２０１９年10月21日発信。

28　http://www.world-economic-review.jp/impact/article1515.html
「マイクログリッド in ＮＹ」、２０１９年10月28日発信。
29　http://www.world-economic-review.jp/impact/article1520.html
「デンマークの再生可能エネルギー主力電源化と新世代地域熱供給」、２０１９年11月11日発信。
30　http://www.world-economic-review.jp/impact/article1540.html
「ＬＮＧ導入50年と日本の経験の東南アジア諸国への伝播」、２０１９年12月16日発信。
31　http://www.world-economic-review.jp/impact/article1575.html
「ブロックチェーンと次世代エネルギーシステム：エストニアとオーストリアで見聞きしたこと」、２０１９年12月23日発信。
32　http://www.world-economic-review.jp/impact/article1582.html
「メキシコでの大規模再生可能エネルギー発電事業：日本のエネルギー企業の『ＣＯ２ネット・ゼロ』への道」、２０２０年４月27日発信。
33　http://www.world-economic-review.jp/impact/article1708.html
「アブダビ・日本の関係緊密化とＪＣＣＰの役割」、２０２０年５月４日発信。
34　http://www.world-economic-review.jp/impact/article1725.html
「近未来にありうる三つのビジネスモデル：発送電分離の先にあるもの」、２０２０年５月11日発信。

http://www.world-economic-review.jp/impact/article1741.html
35　「ＣＯＶＩＤ—19のパンデミックが加速させたエネルギー転換」、２０２０年5月25日発信。
http://www.world-economic-review.jp/impact/article1762.html
36　「ＳＤＧｓ（持続可能な開発目標）のジレンマと二つのやるべきこと」、２０２０年６月８日発信。
http://www.world-economic-review.jp/impact/article1773.html
37　「ガス市場のスイッチングの地域差はなぜ生じるか：注目すべき北海道ガスの奮闘」、２０２０年6月15日発信。
http://www.world-economic-review.jp/impact/article1779.html
38　「水素社会実現へのボトルネック：電力業界が消極的な水素発電がカギ」、２０２０年６月22日発信。
http://www.world-economic-review.jp/impact/article1785.html
39　「世界初の国際間水素サプライチェーン：ブルネイの水素化プラント」、２０２０年７月６日発信。
http://www.world-economic-review.jp/impact/article1800.html
40　「エネルギーの未来：２０５０年の電源ミックスを展望する」、２０２０年7月27日発信。
http://www.world-economic-review.jp/impact/article1825.html

＊＊＊＊＊

「インパクト」は正式名称が「世界経済評論IMPACT」であることからわかるように、そこでの発信内容の中心を占めるのは、国際経済・国際ビジネスにかかわる事項である。したがって、この40編のリストにも、エネルギー・環境問題にかかわる国際的な論題が多数含まれている。とはいえ、福島第一原発事故後の日本のエネルギー改革は国際的な関心事でもあったから、国内的な論題もいくつか存在する。本書では、これら40編のエッセイを手がかりにして、福島第一原発事故後10年のあいだに日本のエネルギー改革は進展したのか、その進展が不十分であったとすれば今後何をなすべきか、という論点を掘り下げていく。

論点の検証を効果的に進めるため、問題を細分化して10のテーマを設け、「原子力」「エネルギー政策」「電力・ガスシステム改革」「シェール革命」「極東・アジアの天然ガス事情」「石油産業の成長戦略」「新機軸」「水素」「地球温暖化対策」「エネルギー転換」を論じる各章（第1章～第10章）を置く。各章では、それぞれのテーマをめぐる福島第一原発事故後10年間の事実経過を概観することから始め、関連する筆者のエッセイについて簡単に解説したのち、「フクシマ後10年」の時点（厳密には9年4カ月後の20年7月末の時点）での到達点と今後の展望を明らかにする。終章では、各章の検証結果を要約するとともに、20年7月に発信したエッセイ40を手がかりにして、日本のエネルギーの未来について、その全体像を展望する。

本書では、40編のエッセイを、原則として、発信当時のままの形で再掲した。ただし、時間表記の修正（「昨年」「今年」「来年」などの表記の修正）、表現の統一、用語の説明、重複箇所の削除など、部分的な補正を加えたことも付記しておく。

第1章　原子力

【事実経過】

２０１１（平成23）年３月11日14時46分、宮城県牡鹿半島の東南東沖１３０キロメートルを震源地とするマグニチュード９・０の東北地方太平洋沖地震が発生し、震動と津波の両者により、空前の被害をもたらした。この東日本大震災は、東京電力・福島第一原子力発電所の事故をともなった点でも、稀有な災害であった。全電源喪失の状態に陥った福島第一原発では、１・３号機が水素爆発、２号機が原子炉圧力容器破損、４号機が３号機からの水素流入による建屋破損を起こし、大量の放射性物質を外部に放出した。福島第一原発事故は、原子力施設の事故・故障等の事象を評価する国際原子力事象評価尺度（ＩＮＥＳ：International Nuclear Event Scale）で、史上最悪と言われる１９８６年のチェルノブイリ原子力発電所事故（旧ソ連）と並ぶレベル７（「深刻な事故」）と評価され、事故後10年近くを経た今日になっても最終的な収束のめどは立っていない。

東京電力・福島第一原子力発電所の事故は、わが国における原子力政策、さらには電力政策をめぐる状況を完全に一変させた。福島第一原発だけで、6基の原子力プラントが廃炉になることが確定した。もはや、2030年までに原子力発電依存度を53％にまで引き上げるとした10年策定の第3次エネルギー基本計画の方針が破綻したことは、誰の目にも明らかであった。

福島第一原発事故発生当時、内閣総理大臣をつとめていたのは、民主党の菅直人《かんなおと》であった。その菅内閣に代わって、11年9月に、同じ民主党の野田佳彦を総理大臣とする新内閣が発足した。野田内閣は、11年10月、エネルギー政策の基本方針について審議するため、総合資源エネルギー調査会基本問題委員会を発足させた。

【事実経過】

11年10月、野田内閣の枝野幸男経済産業大臣の諮問を受けて、「総合資源エネルギー調査会基本問題委員会」（以下、基本問題委員会）が、原子力政策・電力政策を含む新しいエネルギー政策の方向性を検討するため、審議を開始した。この基本問題委員会は、2030年の原子力発電比率について、0％（脱原発の「ゼロシナリオ」）、15％（脱原発依存の「15シナリオ」）、20～25％（原発維持の「20～25シナリオ」）(注1)とする三つの案を示し、12年夏には、国民的な議論を呼びかけた。しかし、12年12月の総選挙における敗北によって民主党政権が崩壊したことにともない、基本問題委員会は中間的ないし最終的な報告書をまとめることはなかった。

（注1）　東京電力・福島第一原子力発電所事故が起きる前年の2010年における日本の原子力発電比率は、26％であった。

12年4月、東京電力と原子力損害賠償支援機構(注2)は、東京電力の今後の経営のあり方を示した「総合特別事業計画」を、枝野幸男経済産業大臣に提出した。この計画には、1兆円規模の公的資金による資本注入を通じて東電を実質国有化することが盛り込まれており、そのままの形で実施された。

12年5月、日本国内で唯一稼働していた原子力発電所である北海道電力・泊3号機が、定期検査のため、運転を停止した。この結果、1970（昭和45）年以来42年ぶりに「原発ゼロ」の状況が現出した。

12年6月、原子炉等規制法の改正が公布された。この法改正により、原子力発電所については、運転開始から40年経った時点で廃炉とすることが原則とされ、特別な条件を満たした場合だけ1度に限ってプラス20年、つまり60年経過時点まで運転が認められることになった。また、あわせて、最新の技術的知見を取り入れ、すでに許可を得た原子力施設にも最新の規制基準への適合を義務づける、バックフィット制度の導入も決まった。

野田内閣は、夏の需要ピーク時における電力不足のおそれを解消することを主要な理由として、関西電力・大飯3・4号機の再稼働を認める決定を下した。その結果、12年7月5日には大飯3号機が、同年7月には大飯4号機が、それぞれ運転を再開した。

12年9月、経済産業省資源エネルギー庁内の原子力規制部局であった原子力安全・保安院(注3)が廃止された。この措置が実施されたのは、東京電力・福島第一原子力発電所の事故以来、原子力発電の推進部局と規制部局が同じ経済産業省資源エネルギー庁に所属していることは問題だとする声が高まったためであった。代わって同じ12年9月に、新しい原子力安全規制行政の担い手である原子力規制委員会が環境省の外局として発足し、同委員会の事務局として原子力規制庁が設置された。原子力規制委員会は、独立性の高い3条委員会として発足した。(注4)

野田内閣は、12年9月、「革新的エネルギー・環境戦略」を策定し、そのなかで「2030年代原発ゼロをめざす」という方針を打ち出した。これは、総選挙(衆議院議員選挙)が近づいている政治情勢のもと、自民党との違いを明確にしたいという民主党の意向を反映したものであった。ただし、この「2030年代原発ゼロ方針」は閣議決定にはいたらず、むしろ、発表直後に中国電力・島根3号機と電源開発㈱・大間原発の建設工事が再開するという、国民にとってわかりづらい状況が生じた。

12年12月に総選挙が行われ、自民党が圧勝し、民主党は敗北した。その結果、民主党主導政権から自民党主導政権への政権交代が生じ、第2次安倍晋三内閣が発足した。第2次安倍内閣の茂木敏充経済産業大臣は、原子力政策・電力政策を含む新しいエネルギー政策の方向性を審議する場を、民主党

(注2) 原子力損害賠償支援機構は、原子力関連事故にともなう損害賠償を迅速かつ適切に行う目的で、2011年9月12日に設立された。その後、廃炉等の支援業務も担当することになったため、2014年8月18日に、原子力損害賠償・廃炉等支援機構へ改組された。

(注3) 原子力安全・保安院について詳しくは、橘川武郎・武田晴人『原子力安全・保安院政策史』一般財団法人経済産業調査会、2016年、参照。

(注4) 3条委員会とは、国家行政組織法第3条にもとづいて設置される、独立性の高い行政委員会のことである。

政権下の総合資源エネルギー調査会基本問題委員会から、既存の総合資源エネルギー調査会総合部会に移した。

12年9月に発足した原子力規制委員会は、13年7月、新しい規制基準を施行した。この基準は、重大事故（シビアアクシデント）対策の強化、バックフィット制度の導入、運転期間延長認可制度の導入、発電用原子炉に関する安全規制の原子炉等規制法への一元化、などを主要な内容としていた。

13年9月、関西電力は、定期検査により大飯3号機の運転を停止したのち、国内で唯一稼働していた原子炉である大飯4号機の運転を、やはり定期検査のためにストップした。これによって再び、「原発ゼロ」の状況が現出した。

エネルギー政策に関する審議を進めていた総合資源エネルギー調査会基本政策分科会（総合部会を13年7月に改組）は、13年12月、「エネルギー基本計画に対する意見」を取りまとめた。それを受けて、安倍内閣は、14年4月、新しいエネルギー基本計画（第4次エネルギー基本計画）を閣議決定した。この計画は、その冒頭で「震災前に描いてきたエネルギー戦略は白紙から見直し、原発依存度を可能な限り低減する。ここが、エネルギー政策を再構築するための出発点であることは言を俟たない」と宣言し、さらに本文中においても、「原発依存度については、省エネルギー・再生可能エネルギーの導入や火力発電所の効率化などにより、可能な限り低減させる」と書いた。また、「再生可能エネルギーについては、２０１３年から3年程度、導入を最大限加速していき、その後も積極的に推進していく」とも記述した。これらの文言をふまえて安倍首相は、「原発依存度を可能な限り減らす」、「再生可能エネルギーを最大限導入する」と、国会答弁等で繰り返し発言した。一方で、第４次エネルギー基本計画は、原子力発電について、「重要なベースロード電源」と規定し、「確保していく規模を見極める」とした。このため、原発依存度を含めた将来の電源構成に関しては、不透明感が残ったままだった。その不透明感は、第４次基本計画決定の際に、２０３０年の電源構成見通し（いわゆる「電源ミックス」）の策定が先送りされたことによって、決定的なものとなった。

２０３０年の電源構成見通し策定のための審議は、ようやく15年１月になって、総合資源エネルギー調査会基本政策分科会のもとに設置された長期需給見通し小委員会の場で開始された。長期需給見通し小委員会での審議をふまえて政府は、15年７月、「長期エネルギー需給見通し」を決定した。その内容は、２０３０年における電源構成（電源ミックス）についてては「原子力20～22％、再生可能エネルギー22～24％、ＬＮＧ（液化天然ガス）火力27％、石炭火力26％、石油火力３％」とし、再生可能エネルギー電源の内訳を「水力９％、バイオマス４％、地熱１％、太陽光７％、風力２％程度」とした。また、同時に決定された２０３０年における１次エネルギー（発電用のみならず、民生用・運輸用・産業用の燃料需要等を含む）供給の構成（エネルギーミックス）は、「石油30％、ＬＰ（液化石油）ガス３％、石炭25％、天然ガス18％、再生可能エネルギー13～14％、原子力10～11％」であった。

15年３月、関西電力は美浜１・２号機の廃炉を、日本原子力発電（原電）は敦賀１号機の廃炉を、それぞれ決定した。その直後、中国電力が島根1号機の廃炉を、九州電力が玄海1号機の廃炉を、あいついで決定した。これら5基はいずれも、運転開始から40年前後が経過しており、「40年廃炉原則」の存在が、廃炉決定の大きな要因となった。

一方で15年8月11日には、九州電力・川内1号機が再稼働し、ほぼ2年ぶりに「原発ゼロ」の状況は終焉した。川内1号機の再稼働は、原子力規制委員会が制定した新しい規制基準をクリアし、再稼働にいたった最初の事例として、社会的な注目を集めた。

18年7月、安倍内閣は、第5次エネルギー基本計画を閣議決定した。この基本計画においても、2030年の電源構成を原子力20～22%、再生可能エネルギー22～24%、火力56%とした15年策定のエネルギー長期需給見通しは、維持されることになった。

【3編のエッセイ】

本書で紹介する「インパクト」に寄せた筆者の40編のエッセイのうち最初に発信されたのは、次に掲げる**エッセイ❶**である。発信時点は、民主党政権時代末期の2012（平成24）年10月である。

《エッセイ❶》「2030年代原発ゼロ」方針の問題点

2012年10月22日発信

政府は、民主党の新政策をふまえて2012年9月14日、2030年代に原子力発電所の稼働をゼロにすることをめざす方針を盛り込んだ新しい「エネルギー・環境戦略」をまとめた。しかし、この「2030年代原発ゼロ」方針が打ち出されて以降、原発推進派がむしろ勢いづくような不思議な現象が起こっている。青森県六ヶ所村での使用済み核燃料サイクル事業の継続が決まったし、3・11以後停止していた中国電力の島根原発3号機の建設工事やJ—POWER（電源開発㈱）の大間原発（青森県）建設工事も再開する見通しとなった。そして、「2030年代原発ゼロ」方針の閣議決定は見送られた。

なぜ、このようなことが起きたのか。答えは簡単である。政府や民主党が「2030年代原発ゼロ方針」の決定を急ぎ、事前に原子力施設が立地する自治体や核兵器不拡散を国是とするアメリカ政府との調整を十分に行わなかったことが、このような「逆転現象」を招いたと言える。

立地自治体のうちとくに六ヶ所村や大間町がある青森県の協力を得られなければ、六ヶ所村に送られた使用済み核燃料が全国各地の原発に返送され「原発即時ゼロ」の事態が生じかねない。このため、政府は、「2030年代原発ゼロ」方針に対する青森県の反発を極力和らげようとしたのである。

核燃料サイクル事業のプロセスでは、原子爆弾の原料となるプルトニウムが作り出される。そうであるにもかかわらずアメリカ政府が日本の核燃料サイクル事業を容認してきたのは、日本の場合、イランや北朝鮮と違って、プルトニウムの平和利用の道が明確に確保されていたからである。３・11（東京電力・福島第一原子力発電所事故）までわが国におけるプルトニウム平和利用は、原発におけるプルサーマル運転という形で行われてきた。「原発ゼロ」方針は、このような道を閉ざすことを意味する。当面、安全が確認された原発が再稼働されるにしても、プルサーマル運転は困難かもしれない。そこで、浮かび上がってくるのが、フルＭＯＸ運転ができプルトニウムを燃料として大量に使うことができる、大間原発の特徴である。工事進捗度の低さから言って、やや意外な感がある大間原発の建設工事再開の背景には、青森県だけでなく、核不拡散を追求するアメリカ政府の意向も働いているのである。

政府・民主党がこのように拙速ともいえる形で「２０３０年代原発ゼロ」方針決定を急いだのは、多くのメディアが指摘するように、「近いうちに」総選挙が行われることを見込んで政治的思惑を働かせたからだと考えるのが、自然だろう。しかし、くらしや産業のあり方に大きな影響を及ぼす長期的なエネルギー戦略を目先の政治的思惑で決めることが間違っていることは、言うまでもない。中長期的な視座から未来を見通し、腰を据えてしっかりした判断を下さなければならない。

中長期的な視座に立ったしっかりしたエネルギー戦略とは、どのようなものであろうか。それ

は、

(1)　脱原発依存を明確に打ち出し、空理空論ではない「リアルでポジティブな原発のたたみ方」を追求する、

(2)　２０３０年以降については、現時点で原発依存度を決め打ちせず、①再生可能エネルギー利用の拡大、②省エネ・節電の徹底、③火力発電の低コスト化・ゼロエミッション化、を最大限実行したうえで、①～③が不確実性をもつことをふまえ、将来の世代が改めてあるべき電源構成を決定する、

という2点を骨子とするものになろう。

筆者は、この夏政府が国民的議論にかけた「ゼロシナリオ」、「15シナリオ」、「20～25シナリオ」という三つのシナリオのうち、「15シナリオ」を支持した。と言うのは、「15シナリオ」が、上記の二つの考え方に立つものだったからである。

すでに述べたように、「ゼロシナリオ」は２０３０年の電源構成における原子力発電比率を０％とする脱原発シナリオ、「15シナリオ」はそれを15％とする脱原発依存シナリオ、「20～25シナリオ」はそれを20～25％とする原発維持シナリオを、それぞれ意味する。筆者は、福島事故後今日まで、一貫して脱原発依存の「15シナリオ」を主張している。

次に取り上げるのは、原子力発電所の再稼働が見込まれるようになった状況下で、その意味につい

て論じた**エッセイ❹**である。

《エッセイ❹》元に戻る再稼働か、減り始める再稼働か

２０１３年８月19日発信

予想どおり、自民党の圧勝に終わった２０１３年７月の参議院議員選挙。その結果を受けて、大半が運転停止中の原子力発電所が雪崩をうって再稼働するのではないかという見通しがある。13年７月に原子力規制委員会が決めた新しい規制基準をクリアした原発については、迅速に再稼働させるというのが、参院選にのぞむ自民党の政策だったからだ。

しかし、事態はそれほど単純ではない。そもそも自民党は、今回の参院選で、原発政策について中長期的な見通しを明言しない方針をとった。原発に対する国民世論はいまだに厳しいと読んだうえで、原発政策を争点から外したほうが、勝利をより確実なものにできると判断したからだ。選挙前にその内容を明言しなかった以上、たとえ選挙に大勝したからといって、自民党の原発政策が支持されたことを意味しない。事態を複雑にしているのは、このような事情があるからだ。

一方で、原発のある程度の再稼働は不可避であることも事実である。13年４月にとりまとめられた電力需給検証小委員会の報告書が明らかにしたように、原発停止による火力発電用燃料費の増加額は年間３兆８０００億円にのぼる。赤ちゃんまで含めた国民の一人ひとりが、毎年約３万円を化石燃料の輸入先に追加支出していることになる。12年から13年にかけて電力会社６社が電気料金の値上げを実施ないし申請したが、それらは原子力発電所の再稼働を前提にしたものであり、再稼働が遅れて原発の運転停止が長期化した場合には、再度の料金値上げが取り沙汰されることになろう。「原発のある程度の再稼働は不可避である」と述べたのは、このような状況を考慮に入れたからである。

それでは、原発はどの程度再稼働するのだろうか。この点に関しては、⑴13年７月に原子力規制委員会がフィルター付きベントの設置を含む、厳しい内容の規制基準を設定したこと、⑵12年６月の原子炉等規制法の改正で、原則として運転開始後40年を経た原子力発電所を廃止することが決まったこと、という二つの新しい規制が重要な意味をもつ。

原発の再稼働は、⑴の新しい規制基準をクリアすることが大前提となる。そうであるとすれば、新規制基準でフィルター付きベントの事前設置が義務づけられた沸騰水型原子炉（26基）の再稼働は、事実上、15年以降でなければありえない。当面の２年間に再稼働がありうるのは、新基準でフィルター付きベントの設置に猶予期間が設けられた加圧水型原子炉（24基）に限定されることになる。現実に、新基準が設定された13年７月中に再稼働の申請を行ったのは、稼働中の関西電力・大飯原発３・４号機を含めて12基であったが、これらはいずれも、加圧水型の原子炉であった。

ここで注目すべき点は、新基準が設定された13年７月の時点で加圧水型24基に再稼働申請のチャンスがあったにもかかわらず、実際には12基しか申請しなかったこと、逆に言えば、12基が申請しなかったことである。新基準をクリアするためには、フィルター付きベントの設置だけでなく、膨大な金額の設備投資が必要とされる。一方、⑵の「40年廃炉基準」が厳格に運用された場合には、多額の追加投資をした原発が、新基準をクリアし、いったん再稼働したとしても、すぐに運転を止めなければならなくなるかもしれない。12基の加圧水型原子炉が７月の時点で再申請をしなかった事実は、電力会社がこれらの事情をふまえて取捨選択を始めており、「古い原発」の再稼働を断念し始めていることを示唆している。

「40年廃炉基準」を厳格に運用した場合には、２０３０年末の時点で、現存する50基のうち32基の原子力発電設備が廃炉となる。残るのは、18基１８９１万３０００キロワットだけである。この18基に建設工事を再開した中国電力・島根原発３号機と電源開発㈱・大間原発が加わったとしても、２０３０年の原子力依存度は、10年実績の26％から４割以上減退して、15％程度にとどまることになる（12年の基本問題委員会での資源エネルギー庁の試算）。

参院選での自民党の圧勝および火力発電用燃料費の膨張を考慮に入れれば、今後、ある程度の原発が再稼働することになるであろう。しかし、それは、既存の50基すべてが「元に戻る」再稼働では決してなく、沸騰水型原子炉も含めて当面30基程度の原発の運転再開が問題となる「減り始める」再稼働であることを、きちんと見抜いておかなければならない。

福島第一原発事故後10年近くを経た今日の時点でも、再稼働した原子炉は９基にとどまる。一方、事故後これまでに廃止が決まった原子炉は21基に達する。**エッセイ❹**で指摘したように、現実に起こったのは、「元に戻る再稼働」ではなく、「減り始める再稼働」だったのである。

この章の最後に取り上げるのは、**エッセイ㉑**である。そこで指摘したように、原子力発電の将来は、使用済み核燃料の処理問題（いわゆる「バックエンド問題」）の解決如何にかかっていると言える。

《エッセイ㉑》スウェーデンの岩盤研究所で感じたオンサイト中間貯蔵の重要性

２０１８年５月７日発信

使用済み核燃料の処理問題、つまりバックエンド問題は、原発への賛否にかかわらず社会全体が解決を迫られている重大な問題だ。この問題を解決するために、どのような施策を講じるべきであろうか。

２０１４年に閣議決定された「第４次エネルギー基本計画」では、使用済み核燃料の最終処分に関して、国が前面に出て対応する方針を打ち出した。しかし、国が主導権をとったとしても、使用済み核燃料の最終処分問題がすぐに解決するとは、到底思えない。

バックエンド問題に対処するためには、使用済み核燃料を再利用するリサイクル方式をとるにしろ、それを1回の使用で廃棄するワンスルー（直接処分）方式をとるにせよ、最終処分場の立地が避けて通ることのできない課題となる。この立地を実現することは、きわめて難しい。

最終処分場では使用済み核燃料を地下深く「地層処分」することになるが、その埋蔵情報をきわめて長い期間にわたって正確に伝達することは至難の業である。リサイクル方式をとれば危険な期間は短縮されるかもしれないが、それでも「万年」の単位にわたるという。つまり、伝達期間は少なくとも何百~何千世代にも及ぶことになる。原発推進派のなかには「地層は安定しているから大丈夫だ」と主張する向きもあるが、それでは地上はどうなのだろうか。例えば、1万年前の日本列島の状況を想像することは、けっして容易なことではない。

もし、最終処分場の立地が実現することがあるとすれば、それは、使用済み核燃料の容量が小規模化し、危険な期間が大幅に短縮された場合だけだろう。この小規模化と期間短縮について、14年策定の「第４次エネルギー基本計画」は、次のように述べていた。

「放射性廃棄物を適切に処理・処分し、その減容化・有害度低減のための技術開発を推進する。具体的には、高速炉や、加速器を用いた核種変換など、放射性廃棄物中に長期に残留する放射線量を少なくし、放射性廃棄物の処理・処分の安全性を高める技術等の開発を国際的なネットワークを活用しつつ推進する」。

「もんじゅについては、廃棄物の減容・有害度の低減や核不拡散関連技術等の向上のための国際的な研究拠点と位置付け、これまでの取組の反省や検証を踏まえ、あらゆる面において徹底的な改革を行い、もんじゅ研究計画に示された研究の成果を取りまとめることを目指し、そのため実施体制の再整備や新規制基準への対応など克服しなければならない課題について、国の責任の下、十分な対応を進める」。

つまり、「エネルギー基本計画」は、「もんじゅ」の高速炉技術を、これまでのように核燃料の増殖のためでなく、使用済み核燃料の減容化・有害度低減のために転用するという方針を打ち出していたのである。

この方針は正しかった。ところが、政府は、16年末、政治的判断で「もんじゅ」の廃炉を決定した。使用済み核燃料の最終処分地を決定するためには、高速炉技術等を使ってイノベーションを起こし、使用済み核燃料の容量を縮小し、危険な期間を大幅に短縮するしか方法がない。「もんじゅ」に替えて、どのように減容炉・毒性軽減炉開発を進めるのか。これが、原子力政策再構築の焦眉の課題なのである。

別の言い方をすれば、このイノベーションが実現しないと、原子力産業の未来は消えることになる。この点は、日本に限らず、世界全体に当てはまることを忘れてはならない。

いずれにしてもバックエンド問題の解決には時間がかかるから、その間、原子力発電所の敷地内に、燃料プールとは別の追加的エネルギーを必要としない空冷式冷却装置を設置し、「オンサイト中間貯蔵」を行うことも求められる。

18年の3月、高レベル放射性廃棄物の研究施設であるエスポ岩盤研究所を見学する機会があった。スウェーデン南部の都市カルマルから車で1時間ほどの距離にある同研究所は、オスカーシャム原子力発電所に隣接する。

よく知られているように、北欧諸国は、いずれも再生エネルギー大国である。しかし同時に、スウェーデンやフィンランドについては、原子力発電の比率がかなり高く、35％前後に及ぶ（15年）ことも見落としてはならない。したがって、これら両国は、バックエンド問題に真正面から取り組んでいる。スウェーデンは、エスポ岩盤研究所でさまざまな知見を得たうえで、それを最終処分場として予定しているフォルスマルク原子力発電所隣接地で活かす方針をとる。フィンランドのオルキルオト原子力発電所に隣接するオンカロ最終処分場の建設に際しても、エスポ岩盤研究所で得られた知見が役に立っているそうだ。

エスポ岩盤研究所の関係者に導かれて、地下420メートルの現場に立った。凛とした緊張感だけでなく、30年の歳月がすでに経過している（実施主体のＳＫＢ社が地下研究所の計画を発表したのは1986年）重みも、身にしみて感じることができた。
スウェーデンのエスバ岩盤研究所もフィンランドのオンカロ処分場も、原子力発電所に隣接する、事実上「オンサイト」の施設である。繰り返し言うが、日本において、「もし、最終処分場の立地が実現することがあるとすれば、それは、使用済み核燃料の容量が小規模化し、危険な期間が大幅に短縮された場合だけだろう」。そのための技術革新には時間がかかるが、その間は、「オンサイト中間貯蔵」を行い、それを受け入れる地元にはきちんと保管料を払う仕組みを導入せざるをえない。スウェーデンとフィンランドでは最終処分がらみ、日本では中間貯蔵がらみ、という違いはあるが、いずれも、バックエンド問題の対策に関してはオンサイトが重要であるという点では変わりがない。そのことを痛感させられた、エスバ岩盤研究所の見学であった。

使用済み核燃料の「地層処分」に関しては、フィンランドのオンカロ最終処分場がよく知られている。同処分場を建設するにあたって基礎的な知見を提供したのが、18年に筆者が訪れたスウェーデンのエスボ岩盤研究所なのである。

【10年後の状況と今後の展望】

［まだら模様のエネルギー改革］

2021（令和3）年の3月で、東京電力（東電）・福島第一原子力発電所の事故（福島第一原発事故）から10年の歳月が経過したことになる。同事故が国民的課題としてつきつけたエネルギー政策の根本的見直しは、進展しただろうか。結論を先取りすれば、甘く見てもエネルギー改革の到達点は分野ごとに大きく異なってまだら模様のままであり、肝心の原子力改革については目立った進展がみられないなど、全体としては、残された課題の方が大きいと言わざるをえない。

エネルギー改革の諸分野のなかで比較的進展がみられたのは、本書の第3章で取り上げる電力・ガスのシステム改革である。電力システム改革については、16年に小売全面自由化が実施され、20年には法的分離方式による発送電分離も遂行された。一方、ガスシステム改革についても、17年に小売全面自由化が実施されたのに続いて、22年には大手3社（東京ガス・大阪ガス・東邦ガス）の導管部門の法的分離が行われる。

システム改革の遂行によって、小口を含むすべての需要家が電力会社・ガス会社を選択できるようになった。また、全面的な市場競争にさらされるようになったため、これまで基幹部門に総括原価制が残っていたことにより緩みがちであった電力会社やガス会社のガバナンスも改善された。これらのメリットが、電力・ガスシステム改革によって生じたわけである。

電力・ガスシステム改革とは対照的に、福島第一原発事故後10年近く経っても進展していないのが、肝心の原子力改革である。この点は、18年に閣議決定された第5次エネルギー基本計画に端的な形で表れている。

［第5次エネルギー基本計画の概要］

エネルギー基本計画とは、２００２年に施行されたエネルギー政策基本法にもとづき策定されるもので、国の中長期的なエネルギー政策の指針を示す役割をもつ。最初のエネルギー基本計画は０３年に策定されたが、それ以降、３～４年に１回のペースで改定されてきた。

第5次エネルギー基本計画の策定まで効力をもった第４次計画は、11年の福島第一原発事故以降初めての改定を受け、14年に閣議決定された。それを受けて翌15年に決定されたエネルギー長期需給見通しは、２０３０年の電源構成を原子力20～22％、再生可能エネルギー22～24％、火力56％とした。18年に閣議決定された第５次エネルギー基本計画においても、この電源構成見通しは維持されることになった。

14年の第４次エネルギー基本計画、15年のエネルギー長期需給見通し、18年の第5次エネルギー基本計画はいずれも、12年12月の総選挙でそれまでの民主党主導内閣から政権を奪取した自民党主導の安倍晋三内閣のもとで策定された。安倍内閣は、**エッセイ❶**で指摘した「ゼロシナリオ」（脱原発）、「15シナリオ」（脱原発依存）、「20～25シナリオ」（原発維持）のうち、原発維持をめざす「20～25シナリオ」を選択したのである。

第5次計画の策定に際しては、2030年時点での状況について審議する総合資源エネルギー調査会基本政策分科会とは別に、50年時点での状況について審議するエネルギー情勢懇談会が設置され、国レベルでの議論は並行して行われた。情勢懇談会の提言は、再生可能エネルギーに関して50年時点で「主力電源化」することをめざすと明記するとともに、原子力に関しても「実用段階にある脱炭素化の選択肢」として高い位置づけを与えた。これらの点は、第5次エネルギー基本計画の記述にも反映された。

【三つの公約違反】

筆者は、第5次エネルギー基本計画について審議した基本政策分科会の委員であったが、同計画に反対する少数派の立場をとった。反対したのは、第5次計画が以下のような三つの問題点を有しているからである。

第1は、維持することを決めた15年策定の電源構成見通しに、そもそも問題があった点である。原子力の比率が高すぎ、再生可能エネルギーの比率が低すぎたのである。

12年の原子炉等規制法の改正によって、原子力発電所については、運転開始から40年経った時点で廃炉とすることが原則とされ、特別な条件を満たした場合だけ1度に限ってプラス20年、つまり60年経過時点まで運転を認められることになった。

11年に福島第一原発事故が発生した時、日本には54基の商業発電用原子炉が存在し、そのほか3基が建設中であった。事故から10年近くを経た今日、これら57基（既存54基＋建設中3基）の内訳は、原子力規制委員会の許可を得て再稼働にいたったもの9基、規制委員会の許可は得たものの再稼働にいたっていないもの7基、規制委員会に再稼働・新規稼働が申請されたが許可を得るにいたっていないもの11基、規制委員会に対して再稼働・新規稼働の申請自体が行われていないもの9基、すでに廃炉が決定したもの21基となる。福島事故時に存在した54基のうち4割近い21基が廃炉にいたったのであり、13年以降に起きたことは、**エッセイ❹**で指摘したとおり、「元に戻る」再稼働ではなく「減り始める」再稼働だったのである。

日本に現存する33基の原子炉のうち、２０３０年12月末になっても運転開始後40年未満のものは18基にとどまる。つまり、「40年運転停止原則」が厳格に運用された場合には、15基が廃炉になるわけである。残る18基に、現在建設中の中国電力・島根原子力発電所3号機と電源開発㈱（Ｊ―ＰＯＷＥＲ）・大間原子力発電所が加わっても、20基にしかならない。これら20基が70％の稼働率で稼働したとすると、２０３０年に約９８００億キロワットアワーと見込まれる総発電量のほぼ15％の電力を、原発は生み出すことになる。

「40年運転停止原則」が効力を発揮すると２０３０年における原発依存度は15％前後となるわけであるから、それより5～7ポイント多い政府決定の20～22％という数値は、原子力発電所の運転期間延長か新増設かを前提としていることになる。安倍内閣は「原子力発電所の新増設は想定していない」と言い続けたから、この5～7ポイントの上積みは、ひとえに既存原発の40年を超えた運転、つまり運転期間延長によって遂行されるわけである。「40年運転停止原則」に則った場合、2030年までに廃炉が予定される15基のうち、かなりの原発（少なくとも10基）を運転延長しなければ、政府が言う5～7ポイントの上積みを達成することはできない。つまり、現行の原子炉等規制法の「40年運転停止原則」ではなく、同法が例外的に可能性を認めた「60年運転」が常態化することになるわけである。このような原子炉等規制法の強引な解釈は、安倍首相が掲げた「原発依存度を可能な限り低減する」という公約とは合致しない。政府決定の「原子力20～22％」は、公約違反だったと言わざるをえない。

公約違反という点では、安倍首相の「再エネを可能な限り導入する」という公約というも守られなかった。2030年の再エネ比率を22～24％とする15年策定の電源構成見通しは、環境省発表の数値（2030年の中位値で31％）と比べて相当に低かったのである。

【原発リプレースと依存度低減】

第2は、2010年代後半に世界のエネルギー事情に激変が生じたにもかかわらず、それが第5次エネルギー基本計画に反映されなかった点である。パリ協定の締結だけではなく、太陽光発電コストや風力発電コストの劇的な低落、原子力発電や石炭火力発電に出力調整を迫るほどの再生エネ電源の普及、シェールガス革命の進行による原油価格と天然ガス価格とのデカップリングの始まり、ＥＶ（電気自動車）普及見通しの上方修正など、近年、エネルギー・環境問題をめぐる国際情勢は大きく変化した。そうであるにもかかわらず、第5次計画は、これらの変化を無視して、15年策定の電源構成見通しを維持したのである。

第3は、第5次エネルギー基本計画が15年策定の電源構成見通しを維持したことは、50年を見据えた情勢懇談会の提言の内容と辻褄が合わない点である。50年に再生可能エネルギーを主力電源化すると言いながら、2030年の電源構成における再生可能エネルギーの比率を上方修正せず、22〜24%に据え置いたままにしたことは、その端的な表れである。

この点に関しては、第5次エネルギー基本計画が原発のリプレース（建て替え）に言及しなかったことも問題である。というのは、リプレースがなければ、原子力発電が脱炭素化の選択肢になることはないからである。

【10年後の状況と今後の展望】

現存する33基の原子炉について言えば（建設中の中国電力・島根3号機と電源開発・大間は、運転開始時期が未定のため、ここでは議論から除外する）、たとえ、これらのすべてについて、運転期間の60年間への延長が認められたにしても、50年末に稼働しているのは18基にとどまる。その後、短期間のあいだに、稼働中の原子炉基数は急減する。60年末には5基（北海道電力・泊3号機、東北電力・東通／女川3号機、中部電力・浜岡5号機、北陸電力・志賀2号機）、65年末には2基（泊3号機、志賀2号機）となり、69年12月に泊3号機が停止すると、皆無となる。これではとても、原子力を長期的に有効な「脱炭素化の選択肢」と見なすことはできない。

原子力発電を何らかの形で使い続けるのであれば、危険性を最小化するため、最新鋭炉を新増設するとともに古い炉を思い切って廃棄するリプレースを行うしかない。リプレースなしには原子力発電は、脱炭素化の選択肢になりえないのである。

何らかの形で今後も原発を使うのであれば、同一原発敷地内で古い原子炉を廃棄し最新鋭の原子炉に置き換えるリプレースを行うことが、責任ある立場というものである。しかし、政府は、リプレースに関する真正面からの議論を回避し、小手先の運転期間延長という方策のみを追求している。このようなやり方に対しては、「無責任な原発回帰路線」だと言わざるをえない。

もちろん、原発のリプレースのみを強調するのでは、「原発依存度を可能な限り低減する」という国民世論の期待や安倍内閣の公約と平仄が合わなくなる。リプレースを行うにしても、2030年度の原発依存度は15%程度にまで押し下げるべきである。古い原子炉を積極的に廃止し、可能な限り低い依存度の枠内で原発リプレースを進めることが、将来において原発を使用する際の唯一の責任ある道だと言える。

叩かれる側から叩く側に回る

福島第一原発事故を機に必要性が明らかになったエネルギー改革に関して、政府が電力・ガスシステム改革については積極的でありながら、原子力改革に関しては消極的な姿勢をとるのは、なぜだろうか。その答えは、システム改革は票になるが、原子力改革は票にならない（場合によっては、票を減らす）ことに求めるのが、自然であろう。

日本の原子力開発は、「国策民営」方式で進められてきた。福島第一原発事故のあと、事故を起こした当事者である東京電力（東電）が、福島の被災住民に深く謝罪し、ゼロベースで出直すのは、当然のことである。ただし、それだけですまないはずである。国策として原発を推進してきた以上、関係する政治家や官僚も、同様にゼロベースで出直すべきである。しかし、彼らは、それを避けたかった。そこで思いついたのが、「叩かれる側から叩く側に回る」という作戦である。

この作戦は、東電を「悪役」として存続させ、政治家や官僚は、その悪者をこらしめる「正義の味方」となるという構図で成り立っている。うがった見方かもしれないが、その悪者の役回りは、やがて、東電から電力業界全体、さらには都市ガス業界全体にまで広げられたようである。一方で、政治家や官僚は、火の粉を被るおそれがある原子力問題については、深入りせず先送りする姿勢に徹した。このように考えれば、福島第一原発事故後政府が、電力システム改革や都市ガスシステム改革には熱心に取り組みながら、原子力政策については明確な方針を打ち出してこなかった理由が理解できる。熱心に「叩く側」に回ることによって、「叩かれる側」になることを巧妙に回避しようとしたのである（誤解が生じないよう付言すれば、筆者は、電力や都市ガスの小売全面自由化それ自体については、きわめて有意義な改革だと評価している）。

結果として、福島第一原発事故後10年近くが経過したにもかかわらず、原子力政策は漂流したままである。次の選挙・次のポストを最重要視する政治家・官僚の視界は、3年先にしか及ばない。しかし、原子力政策を含むエネルギー政策を的確に打ち出すためには、少なくとも30年先を見通す眼力が求められる。このギャップは埋めがたいものがあり、そのため、日本の原子力政策をめぐっては、戦略も司令塔も存在しないという不幸な状況が現出するにいたったのである。

〔バックエンド問題とその解決策〕

原子力政策をめぐって戦略も司令塔も存在しない不幸な状況がもたらしている最大の問題は、使用済み核燃料の処理問題（バックエンド問題）である。バックエンド問題は、原発への賛否にかかわらず社会全体が解決を迫られている重大問題だが、どのような解決策がありえるのだろうか。

14年に閣議決定された第4次エネルギー基本計画では、使用済み核燃料の最終処分に関して、国が前面に出て対応する方針を打ち出した。しかし、国が主導権をとったとしても、使用済み核燃料の最終処分問題がすぐに解決するとは、到底思えない。

バックエンド問題に対処するためには、使用済み核燃料を再利用するリサイクル方式をとるにしろ、それを1回の使用で廃棄するワンススルー（直接処分）方式をとるにせよ、最終処分場の立地が避けて通ることのできない課題となる。この立地を実現することは、きわめて難しい。

最終処分場では使用済み核燃料を地下深く「地層処分」することになるが、その埋蔵情報をきわめて長い期間にわたって正確に伝達することは至難の業である。リサイクル方式をとれば危険な期間は短縮されるかもしれないが、それでも「万年」の単位にわたるという。つまり、伝達期間は少なくとも何百～何千世代にも及ぶことになる。原発推進派のなかには「地層は安定しているから大丈夫だ」

と主張する向きもあるが、それでは地上はどうなのだろうか。例えば、プルトニウム（239）の半減期は2万4000年だが、2万年前には北海道はアジア大陸と陸続き、本州から種子島まで陸続きで、日本列島の姿は今とはまったく異なっていたという。地層自体はたとえ「安定」していたとしても、その埋設地が地上でなくなり、海中に沈んでしまうおそれがあるのだ。

したがって、使用済み核燃料の危険な期間が万年単位のままでは、いくら政府が前面に出ても、最終処分地が決まるはずはない。最終処分地の決定には危険な期間を数百年程度に短縮する有害度低減技術の開発が必要不可欠である。使用済み核燃料の有害度低減技術の開発については、その困難性のゆえに否定的な見解をもつ識者も多いが、どんなに高いハードルであってもそれをクリアしない限り、あるいは少なくともそれにチャレンジしない限り、人類の未来は開けないと言えよう。

もし、最終処分場の立地が実現することがあるとすれば、それは、使用済み核燃料の容量が小規模化し、危険な期間が大幅に短縮された場合だけだろう。この小規模化と期間短縮を「減容化・有害度低減（毒性軽減）」と表現するが、**エッセイ㉑**で指摘したように、14年策定の第4次エネルギー基本計画は、「もんじゅ」の高速炉技術を、もともとの目的であった核燃料の増殖のためでなく、使用済み核燃料の減容化・毒性軽減のために転用するという方針を打ち出した。

この「もんじゅ」に対する第4次エネルギー基本計画の方針は、正しかった。ところが政府は、16年12月に「もんじゅ」の廃炉を正式決定した。18年決定の第5次エネルギー計画の策定にあたっては、「もんじゅ」に替わる毒性軽減炉開発のきっかけをどう明記するかが一つの焦点となったが、結局、抽象的な記述に終始し、ここでも、問題は先送りされた。「もんじゅ」に替えて、どのように減容炉・毒性軽減炉開発を進めるのか、これが、バックエンド対策構築の第1の、そして最大の焦点となる。

ただし、バックエンド問題の解決には時間がかかるから、その間、原発敷地内に、燃料プールとは別の追加的エネルギーを必要としない空冷式冷却装置を設置し、「オンサイト中間貯蔵」を行うことも求められる。これが、バックエンド対策構築の第2の焦点である。

さらに言えば、きわめて困難とされる減容炉・毒性軽減炉に関する技術革新が成果をあげず、バックエンド問題が解決しないこともありうる。その場合に備えて、「リアルでポジティブな原発のたたみ方」という選択肢も準備すべきだ。これはバックエンド対策構築の第3の焦点と言えるが、この点については、項を改めて論じる。

［リアルでポジティブな原発のたたみ方］

それでは、使用済み核燃料の処理問題が解決せず原子力発電の廃止を選択せざるをえなくなった時には、それをどう進めるのか。これが、バックエンド対策構築の第3の焦点である。

このような事態が生じることも念頭に置いて、「リアルでポジティブな原発のたたみ方」も、オプションとして用意しておかなければならない。

リアルでポジティブな原発のたたみ方の柱となるのは、①火力シフト（送変電設備を活用した原子力発電から火力発電への転換）、②廃炉ビジネス（旧型炉の廃炉作業などによる雇用の確保）、③オンサイト中間貯蔵への保管料支払い（使い終わった電気が生み出した使用済み核燃料という危険物質を預かってもらうことに対して、消費者が電気料金等を通じて支払う保管料）、からなる原発立地地域向けの「出口戦略」だ。このような出口戦略が確立すれば、現在の立地地域も、「原発なきまちづくり」が可能となる。

原発は、発電設備は危険だが、変電設備・送電設備は立派であるわけだから、時間はかかるだろうが、発電設備をLNG火力や最新鋭石炭火力に置き換えたうえで、変電所・送電線は今のものを使い続ければいい。そうすれば、火力発電のビジネスと原発廃炉の仕事によって、地元のまちの雇用は確保され、経済は回る。さらに、これらに使用済み核燃料の保管料が加わる。原発立地地域の「原発なきまちづくり」は、不可能ではないのだ。

②の廃炉ビジネスに関連して言えば、何よりも廃炉の社会的意義を明確にする必要がある。これからは国内外において原子力施設の廃炉・廃止は不可避であり、廃炉ビジネスが21世紀前半の原子力事業の柱となることは、否定のしようがない。原発推進派のなかには「原子力発電所を作らない限り原子力人材は育たない」という人が多いが、日本国内での原発の新増設は、今後、たとえリプレースがあったにしても、せいぜい数基にとどまる。それだけでは、原子力人材は育成されない、廃炉技術の社会的意義を明確にして、それを原子力工学の中心に据え直さない限り、必要な人材を確保することは困難だろう。つまり「廃炉を通じて原子力人材を育てる」という新しい発想を導入すべきなのであ

る。

［「原発銀座」の出口戦略］

筆者は、『福井新聞』2013年2月9日付の紙面に、「嶺南と原発 3・11以後㊦ 原発からの出口戦略を」と題する論稿を寄せたことがある。ここでは、その論稿の一部を再掲することにしよう。なお、福井県西部に位置する嶺南は、日本最大の原発集積地であり、「原発銀座」と呼ばれている地域である。

＊　＊　＊　＊　＊

嶺南は、「原発銀座」として、電力供給の面で社会に貢献しているばかりではない。使用済み核燃料を暫定的に保管しているという意味でも、大きな役割を果たしている。福井県下の原子力発電所で3・11以前と同様に運転が行われ、他地域へ使用済み核燃料が移送されないとすれば、美浜・高浜・大飯原発では7年余り、敦賀原発では9年あまりで、保管能力が限界に達することになる。

福島第一原発の事故では、定期検査で運転休止中であった4号機でも水素爆発が起こり、燃料プールに保管中であった使用済み核燃料の危険性が問題になった。福井県下の各原発でも、使用直後の核燃料を冷却する燃料プールだけでなく、そこである程度冷やした使用済み核燃料をより危険性の低い乾式空冷方式で保管する金属キャスクを、安全度の高い場所に設置することが必要となる。そして、電力供給面での貢献に対して支払われる電源三法交付金とは別に、使用済み核燃料の保管という役割に対しても、きちんとした財政的支援が行われてしかるべきだろう。

誤解をおそれず言えば、原発の最前線で一番真剣に悩んでいる嶺南の人びとが見出すべき希望の中身は、建設的な意味での「原発からの出口戦略」である。これからしばらくのあいだ、原子力規制委員会が定める安全基準をクリアした原発は運転を続けることになる。しかし、使用済み核燃料の問題を根本的に解決することは困難であり、日本人だけでなく人類全体がやがていつの日にか、原発をたたまざるをえないだろう。その時に向けて、原発がなくともやっていけるまちの未来図を描きあげることが、嶺南の住民に求められている。

原発からの出口戦略それ自体は、それほど難しいものではない。原発は、発電設備は危険だが、変電設備・送電設備は立派であるわけだから、時間はかかるだろうが、発電設備をLNG火力や最新鋭石炭火力に置き換えたうえで、変電所・送電線は今のものを使い続ければいい。そうすれば、火力発電のビジネスと原発廃炉の仕事によって、地元のまちの雇用は確保され、経済は回る。ただし、肝心な点は、その具体的なプランを、嶺南地域や福井県の住民自身が作り上げることだ。

原発をめぐって、長いあいだ嶺南と福井は、電気事業者や国に振り回されてきた。しかし、そのような時代は終った。これからは、現存する原発を「武器」にして、嶺南と福井が電気事業者や国を振り回す時代がやって来る。

＊　＊　＊　＊　＊

［現時点で「決め打ち」はできない］

ここまで述べてきたように、原子力政策が漂流しているという閉塞状況を打開するためには、一方で原発リプレースと依存度低減を同時に追求するとともに、他方で使用済み核燃料の有害度低減技術の開発とオンサイト中間貯蔵の実施を柱とするバックエンド対策を推進しなければならない。バックエンド対策に関しては、一つのオプションとして「リアルでポジティブな原発のたたみ方」の準備を進めることも、大切である。

原子力の未来の成否を決めるのは、最終的には、バックエンド対策の進展いかんである。脱炭素施策としての有効性等を考慮に入れれば、現時点で原子力発電という選択肢をすぐに放棄すべきではない。反面、バックエンド対策の見通しも立たないまま、原発をいつまでも使い続けるなどという判断を下すわけにもゆかない。原子力の未来について現時点で「決め打ち」することはできないのである。

第2章　エネルギー政策

【事実経過】

第1章で、「次の選挙・次のポストを最重要視する政治家・官僚の視界は、3年先にしか及ばない。しかし、原子力政策を含むエネルギー政策を的確に打ち出すためには、少なくとも30年先を見通す眼力が求められる。このギャップは埋めがたいものがあり、そのため、日本の原子力政策をめぐっては、戦略も司令塔も存在しないという不幸な状況が現出するにいたった」、と指摘した。この不幸な状況は、民主党政権であるか自由民主党政権であるかにかかわらず、現実化したのである。

２０１１（平成23）年３月の東京電力・福島第一原子力発電所事故から20年９月までのあいだに、四つの内閣が登場した。

①　民主党主導の菅直人《かんなおと》内閣（11年９月まで）、

②　民主党主導の野田佳彦内閣（12年12月まで）、

③　自由民主党主導の安倍晋三内閣（20年9月まで）、
④　自由民主党主導の菅義偉《すがよしひで》内閣、

が、それである。

次に紹介する**エッセイ❷**では、①②の民主党政権に対し、「くらしや産業のあり方に大きな影響を及ぼすエネルギー政策を、選挙対策という目先の政治的思惑で決めてしまうことが間違っているのは、言うまでもない」として、批判を加えた。そして、その批判は、③④の自民党政権に対しても、そのままの形であてはまる。

【3編のエッセイ】

エッセイ❷を発信したのは、民主党主導の野田内閣から自民党主導の安倍内閣への政権交代が生じた直後の２０１３（平成25）年2月のことである。**エッセイ❷**は、エネルギー政策における戦略的観点の重要性を強調している。

《エッセイ❷》　エネルギー戦略決定の節目の年となる２０１３年

2013年2月4日発信

最近、たまにではあるが、民主党主導の野田佳彦政権が決めた「革新的エネルギー・環境戦略」によって日本のエネルギー戦略は方向性が固まったのか、という質問を受けることがある。答えはノーである。まだ決まっていない。

民主党主導の前政権は、2030年代に原子力発電所の稼働をゼロにすることをめざす方針を盛り込んだ「革新的エネルギー・環境戦略」を、2012年9月に策定した。しかし、その内実は矛盾に満ちたものだったのであり、結局、民主党政権下では原子力ゼロ方針を閣議決定することができないまま、年末の総選挙による政権交代を迎えることになった。

「2030年代原発ゼロ」方針を打ち出す一方で前政権は、原発ゼロであれば本来必要なくなるはずの六ヶ所・再処理工場等での使用済み核燃料サイクル事業について、継続することを決めた。また、福島第一原発事故後建設工事がストップしていた中国電力・島根原発3号機およびJ―POWER・大間原発についても、工事再開を事実上容認した。

このような矛盾の顕在化は、前政権が総選挙対策の思惑から「2030年代原発ゼロ方針」の決定を急ぎ、事前に原子力施設が立地する自治体との調整を十分に行わなかったことの必然的帰結である。とくに六ヶ所村や大間町がある青森県の協力を得られなければ、六ヶ所村に送られた使用済み核燃料が全国各地の原発に返送され「原発即時ゼロ」の事態が生じかねなかったため、前政権は、「２０３０年代原発ゼロ」方針に対する青森県の反発を極力和らげようとしたのである。

このように、民主党主導の前政権が決めた「２０３０年代原発ゼロ」方針は、拙速の批判を免れないものであった。くらしや産業のあり方に大きな影響を及ぼすエネルギー政策を、選挙対策という目先の政治的思惑で決めてしまうことが間違っているのは、言うまでもない。中長期的な視座から未来を見通し、腰を据えてしっかりした判断を下さなければならないのである。

したがってエネルギー政策は、新しい安倍晋三政権のもとで、仕切り直しをしたうえで、少々時間をかけて、13年の6~7月ごろ決定されることになるだろう。ヤマ場は13年の初夏にやって来ると見通すわけであるが、それには三つの理由がある。

一つ目の理由は、エネルギー基本計画見直しの期限が到来することである。エネルギー政策決定の柱となるのは、11年3月11日の東京電力・福島第一原子力発電所事故による状況変化をふまえたエネルギー基本計画の見直しである。エネルギー基本計画は、２００２年に施行されたエネルギー政策基本法にもとづき策定されるもので、ほぼ3年に1度の頻度で見直されることになっている。現行のエネルギー基本計画が策定されたのは3・11以前の10年6月のことであり、それから13年6月で3年が経過する。

二つ目の理由は、原子力規制委員会の動向である。13年6~7月ごろには、12年9月に発足した原子力規制委員会が進める原子力発電所の新たな安全基準の策定が佳境を迎える。原子力規制委員会は、国家行政組織法第3条にもとづいて設置された独立性の高い行政委員会で、事務局として原子力規制庁をもつ。今後、既存原発の再稼働ないし廃止や原発の新増設の可否を決定する際には、原子力規制委員会が13年初夏に定める安全基準が、基本的な判断基準になる。原子力規制委員会がきちんと機能するかどうかはまだ明言することはできないが、国際的な流れに沿った独立性の高い組織としてスタートしたことで、その役割発揮に期待が高まっていることは間違いない。

13年が日本のエネルギー戦略全体にとって節目の年になると考える三つ目の理由は、原発停止に起因する火力発電用燃料費の膨張等によって、電気料金の値上げ問題が全国的に広がり、その解決を迫られるからでもある。関西電力の発表によれば、13〜15年度の同社の平均年間火力燃料費（9120億円、推計値）は、3・11以前の実態をほぼ反映している10年度のそれ（3431億円、実績値）の2・7倍に当たることになる。原発稼働率の著しい低下にともなう5689億円もの年間火力燃料費の増加は、関西電力の経営に致命的とも言える打撃を与えつつある。電気料金値上げ問題の背景にあるのは、このような事情である。現在、電気料金値上げの動きは、関西電力のみにとどまらず、北海道電力、東北電力、東京電力、四国電力、九州電力にも広がろうとしている。この値上げ問題にいかに対処するかは、エネルギー戦略上の重大課題である。

以上の三つの理由から、今年13年は、3・11後の日本のエネルギー戦略を決定する重要な節目の年となる。われわれは、事態の推移を注意深く見守ってゆかなければならない。

エッセイ❸は、**エッセイ❷**の２カ月後に発信したものである。**エッセイ❸**は、エネルギー政策の見直しにあたって堅持すべき四つの視点を提示している。

《エッセイ❸》 エネルギー政策見直しで堅持すべき四つの視点

２０１３年４月29日発信

東京電力・福島第一原子力発電所の事故によって、わが国のエネルギー政策は、ゼロベースで見直されることになった。今日ほどエネルギー問題に対する国民的関心が高まった時期は、１９７０年代の石油危機時を除けばなかったと言えるだろう。せっかく関心が高まっているのであるから、それをエネルギー政策にかかわる有意義な改革に結びつけることが、大切である。

エネルギー政策を見直すに当たっては、堅持すべき視点が四つある。この小稿では、それらを確認してゆきたい。

一つ目は、現実性である。一例として原子力発電に関して言えば、「反対だ」「推進だ」と、原理的な主張を繰り返すだけの時代は終わった。原発の危険性と必要性の両面を直視し、どのようにバランスをとるかという、冷静な議論が求められている。エネルギー問題をめぐる論調では、相手を批判するだけのネガティブ・キャンペーンがまだまだ多い。論争は重要であるが、自分と異なる意見を批判する場合には、必ずポジティブな対案を示すべきである。

「脱原発依存」を主張するのであれば、再生可能エネルギーをどう普及させるか、火力発電へのシフトがもたらす燃料調達と二酸化炭素排出の問題をどう解決するか、省エネによる節電をいかに進めるか、などについて具体案を提示する必要がある。筆者（橘川）自身は、「リアルでポジティブな原発のたたみ方」(注5)が大切だと考えているが、そのための具体的施策については、拙著『電力改革』（講談社、２０１２年）で詳しく掘り下げたので、同書を参照されたい。

二つ目は、総合性である。議論の焦点が原子力と再生可能エネルギーに収斂されがちであるが、現実には、「原発依存の時代」から「再生可能エネルギーの時代」への移行には相当時間がかかり、その間には「火力でつなぐ時代」が続く。火力発電を正面から論じる総合的な視座がない限り、エネルギー政策の改革は進まない。火力発電をきちんと論じるためには、化石燃料をいかに低コストで安定的に調達するか、排出される二酸化炭素がもたらす地球温暖化問題にどのように対処するか、という二つの論点を避けて通ることはできないのである。

また、再生可能エネルギー利用の増大には分散型電源の拡充が効果的であり、事業者の規模を小さくすることが望ましい。一方、火力発電用燃料の調達のためには、事業者の規模が大きい方

（注5）「リアルでポジティブな原発のたたみ方」の概要については、第1章で記述したとおりである。

が交渉力を高め、有利である。この面でも、エネルギー政策見直しに当たっては、事業者の規模に関する総合的な視点に立った調整が求められている。

三つ目は、国際性である。日本だけが原発を縮小しても、韓国・中国・インド・トルコなどのアジア諸国ないし新興国では、原発の新増設が相次ぐ。このような状況下で、わが国は、原子力の技術を放棄してよいのか。国内における原発依存度がどのような水準になろうとも、原子力技術は保有し続けるべきであろう。われわれは、「核兵器をもたない原子力技術国」としての日本への国際的期待が高いことを忘れてはならない。

一方、温暖化対策については、国内の原発新増設で二酸化炭素排出量を抑制する時代は過去のものとなった。これからは、二国間クレジット方式(注6)にもとづき、石炭火力の燃焼技術の移転によって海外で二酸化炭素排出量を減らす時代がやってくる。われわれが直面しているのは「日本環境問題」ではなく「地球環境問題」なのであり、温暖化対策の推進には、国際的視点の導入が必要不可欠だと言える。

四つ目は、地域性である。東日本大震災と福島第一原発事故は、送電線やパイプラインなどの系統に依存する集中型エネルギー供給網の脆弱性を明確にした。今後は、分散型電源やＬＰ（液化石油）ガスなどを活用する分散型エネルギー供給網を、集中型供給網とともに強化していかなければならない。また、福島第一原発事故後の電力不足は、節電やピークカットなど、需要の側からの電力問題へのアプローチの大切さを明らかにした。そこでは、スマートメーターを利用したスマートコミュニティの形成が、大きな意味をもつ。分散型エネルギー供給網にしても、スマートコミュニティにしても、それがすぐれて地域の問題であることを、われわれは見落としてはならない。

「リアルでポジティブな原発のたたみ方」を考えるうえでポイントになるのは、原発立地地域の経済が原発なしでも活力を維持していけるような方策を見出すことである。それは「原発からの出口戦略」を確立する作業であるが、そこでも地域性の視点はきわめて大切だと言える。

有意義な改革につながるようエネルギー政策の見直しを進めるためには、現実性、総合性、国際性、地域性という四つの視点を堅持することが、強く求められている。

結局、自民党主導の安倍内閣もまた、明確なエネルギー戦略を打ち出すことはなかった。この点を論じたのが、**エッセイ❼**である。**エッセイ❼**は、安倍内閣のもとで14年に閣議決定された第4次エネルギー基本計画について、批判的に検討を加えている（文中の「新しい『エネルギー基本計画』」とは、第4次エネルギー基本計画のことである）。

（注6）二国間クレジット方式については、第9章で後述する。

《エッセイ❼》新しい「エネルギー基本計画」でも晴れない先行きの不透明感

２０１４年４月28日発信

民主党・枝野経産相のもとで33回、自民党・茂木経産相のもとで17回、あわせて50回にわたって開催された審議会を経て、ようやく新しい「エネルギー基本計画」の骨格（正式名称は「エネルギー基本計画に対する意見」）がまとまったのは、２０１３年12月のことである。そして、この意見書に沿う形で、新「エネルギー基本計画」が、ようやく14年４月、閣議決定された。

新しいエネルギー基本計画は、各エネルギー源の重要性を、以下のとおりまんべんなく指摘している。

○再生エネルギー：有望かつ多様で、重要な低炭素の国産エネルギー源。再生可能エネルギー関係閣僚会議を創設。

○原子力：安全性の確保を大前提に、エネルギー需給構造の安定性に寄与する重要なベースロード電源。

○石炭：安定性・経済性に優れた重要なベースロード電源であり、環境負荷を低減しつつ活用していくエネルギー源。

○天然ガス：シェール革命などを通じて天然ガスシフトが進み、今後役割を拡大していく重要なエネルギー源。
○石油：利用用途の広さや利便性の高さから、今後とも活用していく重要なエネルギー源。
○LPガス：シェール革命を受けて北米からの調達も始まった、緊急時にも貢献できる分散型のクリーンなガス体のエネルギー源。

このような指摘を受けて、エネルギー産業に関連する各業界紙は、総じてこの意見書を高く評価する論陣を張った。自らの業界が主として取り扱うエネルギー源の重要性が、きちんと評価されたというわけだ。

しかし、このような評価はやや一面的であると言わざるをえない。なぜなら「木を見て森を見ず」のたとえが、そのままあてはまるからである。

新しいエネルギー基本計画に対して多くの国民が期待していたのは、目標年次とされた2030年において日本の電源ミックスや1次エネルギーミックスがどのようなものとなるか、その見通しを数値で明示することであった。しかし、今回の基本計画は、電源ミックスやエネルギーミックスを数値で示すことを避け、それを先送りした。各エネルギー源の重要性に関する定性的で総花的な記述に終始したのである。

今回の新エネルギー基本計画は、各エネルギー源の位置づけという「木」については言及している。しかし、それぞれのエネルギー源の全体としてのバランスがどうなるかという肝心な論点、つまり「森」については立ち入ることを避けている。「木を見て森を見ず」と見なす理由は、ここにある。

電源ミックスが明示されなかったため、新しいエネルギー基本計画の内容はわかりにくいものとなっている。そのことは、原子力発電の位置づけに関する記述に、端的な形で表れている。

新エネルギー基本計画は、焦点の原子力発電の位置づけについて、「重要なベースロード電源」と述べる一方で「原発依存度は可能な限り低減」させるとし、ただし「確保していく規模を見極める」とも記述した。きわめてわかりにくい表現だと言わざるをえない。同計画の草案が審議された総合資源エネルギー調査会基本政策分科会の席上、委員であった筆者（橘川）は思わず、「マッキー（槇原敬之）の歌の『もう恋なんてしないなんて言わないよ絶対』というフレーズみたいでわかりづらい」と発言してしまったが、今もその気持ちは変わらない。

新エネルギー基本計画がわかりにくい最大の原因は、多くの国民が期待していた２０３０年における電源ミックスの数値の発表を回避したからである。それでは、２０３０年の原発依存度および電源ミックスはどのようなものとなるだろうか。その数値を予測するうえで手がかりを与えるのは、２０１２年の原子炉等規制法の改正で、原則として運転開始後40年を経た原子力発電所を廃止すること（「40年廃炉基準」）が決まったことである。

この「40年廃炉基準」を厳格に運用した場合には、２０３０年末の時点で、現存する48基のうち30基の原子力発電設備が廃炉となる。残るのは、18基１８９１万３０００キロワットだけである。この18基に建設工事を再開した中国電力・島根原発3号機と電源開発㈱・大間原発が加わったとしても、２０３０年の原子力依存度は、２０１０年実績の26％から4割以上減退して、15％程度にとどまることになる（12年の基本問題委員会での資源エネルギー庁の試算）。２０３０年における電源ミックスは、原子力15％、再生可能エネルギー（水力を含む）30％、火力40％、コジェネ15％となるのではなかろうか。

【10年後の状況と今後の展望】

［エネルギー戦略の不在］

東京電力・福島第一原子力発電所事故から10年近くが経過したが、その大半の期間において政権の座にあったのは、２０１２（平成24）年12月に内閣総理大臣に返り咲いた自由民主党の安倍晋三であった。その後、「安倍一強」という表現が定着したことからわかるように、安倍内閣の政権基盤は盤石である時期が長かった。

にもかかわらず、ここまでの検証から明らかなように、安倍内閣のもとで、エネルギー改革は十分な成果をあげてこなかった。第1章で指摘したように、「甘く見てもエネルギー改革の到達点は分野ごとに大きく異なってまだら模様のままであり、肝心の原子力改革については目立った進展がみられないなど、全体としては、残された課題の方が大きいと言わざるをえない」。そして、その結果、肝心の「日本の原子力政策をめぐっては、戦略も司令塔も存在しないという不幸な状況が現出するにいたった」のである。

安倍内閣発足直後に発信した**エッセイ❷**では、エネルギー政策における戦略的観点の重要性を強調した。しかし、安倍内閣のもとで、それが実現することはなかった。**エッセイ❼**で述べたように、安倍内閣が14年に閣議決定した第4次エネルギー基本計画でも、エネルギー戦略の不在は解消されなかった。さらに、そのことは、18年に第5次エネルギー基本計画を閣議決定した際にも繰り返された。

「安倍一強」が長く続いたにもかかわらずきちんとしたエネルギー戦略が打ち出されなかったのは、なぜだろうか。この疑問を解くカギは、安倍内閣の独特の性格がもたらした「官邸リスク」にある。

［「安倍一強」下の「官邸リスク」］

この点を確認するために、再び原子力政策の動向に目を向けよう。

日本の原子力発電をめぐっては、再稼働後に高等裁判所や地方裁判所が運転差し止めを命じる「司法リスク」や、原子力規制委員会の許可がおりても地元了解が得られないため再稼働にいたらない「自治体リスク」などが、しばしば指摘される。しかし、実際には、原子力にとっての最大のリスクは、別のところにある。それは、「政治リスク」、厳密に言えば「首相官邸リスク」である。

18年に閣議決定された第5次エネルギー基本計画計画は、2030年の電源構成を原子力20～22%、再生可能エネルギー22～24%、火力56%とするとともに、50年時点でも原子力に「実用段階にある脱炭素化の選択肢」として高い位置づけを与えた。一方で、安倍内閣は、それまでと同様に第5次計画の策定過程においても原発のリプレース（建て替え）に関する議論を回避し、問題を先送りした。

このことは、明らかな矛盾である。というのは、リプレースに正面から取り組まない限り、2030年に20～22%の原発比率を確保することはできないし、2050年に原子力を「脱炭素の選択肢」として維持することも不可能だからである。

ここでリプレースを強調するのは、原発をどんどん推進せよという意味ではまったくない。脱炭素の選択肢として原発を多少なりとも使い続けるのであれば、危険性の最小化が絶対的な前提条件となるから、より危険性が高い古い原子炉を積極的に廃止し、より危険性が低い新しい炉に置き換えるべきだと考えるからである。リプレースは、「原発依存度を可能な限り低減する」という国民世論の期待や安倍内閣の公約と矛盾しない。リプレースを行うにしても、30年の原発依存度は最大限15%程度にまで押し下げるべきである。可能な限り低い依存度の枠内で原発リプレースを進めることが、将来において原発を使用する際の唯一の責任ある道だと言える。

では、なぜ、安倍内閣はリプレースを回避したのか。選挙がこわかったからである。「安倍一強時代」が7年半以上も続いたのだから、そんなはずはないという反論があるかもしれない。しかし、ここで忘れてはならないのは、安倍首相が獲得をめざしたのは、通常のケースのように国会の議席の過半数ではなく、3分の2以上であった点だ。憲法改正をめざした安倍首相からすれば、原子力のような微妙な問題に深入りすることは得策ではない。したがって、安倍政権が続く限り、リプレースが正面から取り上げられることはなかった。リプレースが取り上げられない限り、原子力の未来は開かれない。原子力にとっての最大のリスクは「官邸リスク」だと指摘したゆえんである。

［求められるリアルなエネルギー政策］

原子力政策を含む日本のエネルギー政策をめぐって、これ以上、「戦略も司令塔も存在しない」状況を放置するわけにはいかない。現在、第6次エネルギー基本計画の策定をめぐる議論が始まろうとしているが、今度こそ、「２０３０年に原発比率20～22％」などという実現できっこない絵空事ではなく、リアリズムに立脚した検討が必要となる。**エッセイ❸**で強調した四つの視点のうち、特に1番目の「現実性」が大切なのである。

現実性ある議論を進めるうえで有効だと思われるのは、①「原発無し、石炭火力無し」、②「原発無し、石炭火力有り」、③「原発有り、石炭火力無し」、④「原発有り、石炭火力有り」という四つのシナリオを想定し、それぞれのケースで、エネルギー政策の基本となる「S＋3E」について、何が問題になるかを直視するアプローチである。「S＋3E」とは、Safety（危険性の最小化）、Energy Security（エネルギーの安定供給）、Economic Efficiency（経済効率性の向上）、Environment（地球

表1　エネルギー政策の四つのシナリオとその問題点

シナリオ	Safety 原発の危険性の最小化	Energy Security エネルギーの安定供給	Economic Efficiency 経済効率性の向上	Environment 地球温暖化対策の推進
①　原発（無）・石炭火力（無）	○	×	×	○
②　原発（無）・石炭火力（有）	○	○	○	×
③　原発（有）・石炭火力（無）	×	×	×	○
④　原発（有）・石炭火力（有）	×	○	○	×

（出所）筆者作成。

温暖化対策の推進）、のことである。

表1は、このような観点から、筆者の評価をまとめたものである。○は問題があまりないことを示し、×は問題が大いにあることを示す。

再生可能エネルギーの比率が高くなる①と③のシナリオには、「経済効率性」に×を付けざるをえない。再エネのコストは海外では下がっているとはいえ、国内ではまだまだ高いからである。原発を使い続ける③と④のシナリオでは、リプレースが打ち出されていない以上、「危険性の最小化」に×を付すことになる。石炭火力を使う②と④のシナリオには、CCS（二酸化炭素回収・貯留）が進展しない限り「温暖化対策」に×が付くし、逆に石炭火力を使わない①と③のシナリオには、「安定供給」に×が付される。

これらの×をいかに解消するかが、リアルなエネルギー政策のポイントとなる。現時点での筆者の見立てでは、2050年時点でも、④のシナリオが最も有力である。ただし、電源構成は、再生可能エネ50％、火力40％、原子力

10％となり、「再生可能エネ主力電源化」が達成される。もちろんこの見立てがリアリティをもつためには、再生エネのコスト低減、火力発電でのＣＣＳの徹底、原発のリプレースという、三つの課題が達成されていなければならない。

第3章　電力・ガスシステム改革

【事実経過】

第1章で言及したように、東京電力・福島第一原子力発電所事故後10年のあいだに全体としては停滞ぎみであったエネルギー改革の諸分野のなかで比較的進展がみられたのは、電力・ガスのシステム改革である。電力システム改革については、２０１５（平成27）年の電力広域的運営推進機関（ＯＣＣＴＯ）の発足に続いて16年に小売全面自由化が実施され、２０２０（令和２）年には法的分離方式による発送電分離も遂行された。一方、ガスシステム改革についても、17年に小売全面自由化が実施されたのに続いて、22年には大手３社（東京ガス・大阪ガス・東邦ガス）の導管部門の法的分離が行われる。

２０１５年開始の電力システム改革については「電力自由化」という表現がしばしば使われるが、実は、部分的な自由化は、すでにその20年前から始まっていた。１９９５年から２００８年にかけて

4次にわたって実施された部分的電力自由化によって、新規参入や事業者間競争が可能な需要分野が徐々に拡大していたのである。具体的には、2000年に契約電力2000キロワット以上の特別高圧需要家、04年に500キロワット以上の高圧需要家、05年に50キロワット以上の高圧需要家が、自由化対象に組み入れられた。部分自由化開始以降、電気料金は着実に低下し、2000年代に入ってからの燃料費の高騰にもかかわらず、1995年度から2005年度のあいだに、約18％下落した。

しかし、一方で、検討課題とされていた自由化対象を小口の家庭用分野などにまで広げる電力小売の「全面自由化」は、2008年にいったん見送られることが決まった。また、自由化分野が需要全体の約6割を占めるにもかかわらず、肝心の電気事業者間の地域を越えた競争は、東日本大震災までの時期には、わずか1件しか起こらなかった。これらの事実をふまえれば、日本における電力自由化は道半ばにして頓挫したと言わざるをえない状況であった。その状況を大きく変えたのは、11年3月に発生した、東日本大震災にともなう東京電力・福島第一原子力発電所の事故にほかならない。

140年弱の全歴史のなかで、電気事業が国家管理下におかれたのは第二次世界大戦前後の約12年間（1939年4月～51年4月）だけであり、基本的には民営形態で営まれてきた点に、日本の電力業の特徴がある。つまり、民有民営の電力会社が企業努力を重ねて、「安い電気を安全かつ安定的に供給する」という公益的課題を達成する、民間活力重視型の「民営公益事業」方式を採用してきたわけであるが、福島第一原発の事故は、肝心の電気事業における民間活力が十分に機能していないことを、多くの国民に印象づけた。その結果、電気事業のあり方の改革を求める声が高まり、懸案の小売全面自由化を含む抜本的な電力システム改革が実施されることになったのだ。

2015年に始まった本格的な電力システム改革は、

(1) 家庭用などの電気の小口消費者が電力会社を自由に選択できるようにする、

(2) 卸電力市場の活用を通じて電力需給の安定を図るとともに、送配電制度の透明性を高める、

(3) 電力会社の送配電部門の中立化を徹底する、

などの目的をもっていた。これらを達成するためにシステム改革が、前述の3段階に分けて遂行されたのである。

第3段階の発送電分離を決めたのは、15年6月に成立した改正電気事業法である。その際、同時にガス事業法も改正され、都市ガス事業でも、前述の2段階に分けて、システム改革が実施されることになった。電力システム改革は、ガスシステム改革にまで波及し、16~17年の電力・ガス小売全面自由化を機に、日本のエネルギー業界は、新たな「大競争時代」を迎えることになったのである。

システム改革の遂行によって、小口を含むすべての需要家が電力会社・ガス会社を選択できるようになった。また、全面的な市場競争にさらされるようになったため、これまで基幹部門に総括原価制が残っていたことにより緩みがちであった電力会社やガス会社のガバナンスも改善された。これらのメリットが、電力・ガスシステム改革によって生じたわけである。

【3編のエッセイ】

この章では、電力・ガスシステム改革に関連する3編のエッセイを取り上げる。**エッセイ❺**は、電力システム改革がスタートする以前の2013（平成25）年9月に発信したものであり、改革と東京電力のリストラとの関係について論じている。

《エッセイ❺》電力システム改革は東電大リストラから始まる

2013年9月9日発信

電力システム改革については、電気事業法の改正が参院選後の臨時国会に先送りされたものの、2013年2月、電力システム改革専門委員会が打ち出した工程表にもとづき、次のような3段階に分けて遂行されることになる。

15年を目途とする第1段階では、広域系統運用機関を設立する。あわせて、新しい規制組織が動き出すことになる。

16年を目途とする第2段階では、電力小売の全面自由化を実施する。この結果、家庭用等の小口需要家も、電力会社を自由に選択できるようになる。ただし、この段階では、電気料金規制は撤廃されず、経過措置として残存する。

18~20年を目途とする第3段階では、送配電部門の法的分離を行う。この法的分離方式による発送電分離の施行に合わせて、経過措置として残っていた電気料金規制は撤廃される。

ただし、現実には電力システム改革が、この工程表とは異なる経路をたどって進行する可能性がある。そのきっかけとなるのは、東京電力の真の再生プランの実行である。

ここで「真の再生プラン」という言葉を使うのは、12年5月に認定された「総合特別事業計画」では東京電力の再生は達成されない、と考えるからである。そのことは、「総合特別事業計画」の1年平均のリストラ効果が3365億円であるのに対して、原発停止による燃料費の嵩上げが年間1兆円に達するという事実、つまり両者のあいだには年間6600億円余のギャップあるという事実に、端的な形で示されている。しかもこれ以外に、福島第一原発1~4号機の廃炉費用や放射能汚染地域の除染費用が必要となる。現状のままでは、東京電力が毎年毎年電気料金を値上げする事態さえ生じかねない。

現状を打開するためには、何らかの形で柏崎刈羽原発の運転を再開し、廃炉費用や除染費用を国が中心となって負担するしかないであろう。しかし、柏崎刈羽原発の再稼働や廃炉・除染費用の国庫負担に対しては、世論の強い反発が予想される。世論の反発を和らげるためには、当事者である東京電力がもう一段踏み込んだリストラ、多くの国民が納得するリストラを実施する以外に方法はない。そのようなリストラとは、いかなるものであろうか。それは、東京電力がピーク調整用の揚水式水力発電所等を除いて、基本的にはすべての発電設備を売却するというものである。その場合、発電設備の運転にかかわる人員は売却先へ移籍することになるため、東京電力の従業員数は大幅に減少し、リストラ効果は拡大する。東京電力が発電設備の売却によって得た収入は、賠償・廃炉・除染費用に充当される。また、柏崎刈羽原発も売却の対象となるため、事業主体の変更という同原発の再稼働をめぐる独自のハードルもクリアされる。

このようなリストラを行って東京電力は存続できるのかという疑問が生じようが、筆者は存続が可能だと考える。発電設備売却後の東京電力は、東京の地下を東西および南北に走る27万5000ボルトの高圧送電線とそれに連なる配電網を経営の基盤にして、系統運用を中心としたシステムインテグレーターとして生き残る。世界有数の需要密集地域で営業するという特徴を活かせば、東京電力の存続は可能であろう。

ここで問題となるのは、東京電力が売却する発電設備を購入するのは誰か、である。購入候補の筆頭にあがるのは、中部電力だろう。そのほか、東京ガス、大阪ガス、電源開発㈱、ＪＸ（石油元売最大手）などの名をあげることができる。中部電力が東京電力の発電施設を購入すれば、東京都庁への電力供給にとどまらず、50ヘルツ地域で広範に電力販売を行うことができるようになる。それは、電力会社間競争の本格的な開始を意味し、電力全面自由化へ道を開く。その場合、東京電力については発送電分離が行われたことになるが、他の電力会社については必ずしも発送電分離が行われるわけではない。「電力システム改革が、この工程表とは異なる経路をたどって進行する可能性がある」と述べた理由は、ここにある。

エッセイ㉞は、電力システム改革の仕上げである発送電分離が実施されたのちの2020（令和2）年5月に発信したものである。このエッセイも、**エッセイ❺**と同様に、東京電力のリストラについて論じており、それをふまえて、発送電分離後の日本の電力業界には、三つのビジネスモデルが登場しうると見通している。

《エッセイ㉞》近未来にありうる三つの電力ビジネスモデル：発送電分離の先にあるもの

2020年5月11日発信

2020年の4月、電力システム改革の仕上げとして、発送電分離が実施された。東京電力・福島第一原子力発電所事故後、今日までの電力業界の動向を念頭に置くと、この発送電分離や柏崎・刈羽原子力発電所の再稼働をきっかけにして、電力業界に新しいビジネスモデルが登場する可能性がある。

とはいえ、目下のところ電力業界では、旧態依然の「原子力依存型」モデルが支配的である。大半の旧一般電気事業者は、原子力発電所の再稼働を最重点課題としている。原発再稼働は、収益効果が大きいだけでなく、電気料金引下げを通じて電力市場での競争優位確保を可能にするからである。すでに再稼働をはたした関西電力・九州電力・四国電力が、「電力業界の勝ち組」と見なされるゆえんである。

これに対して、「非原子力大型電源依存型」モデルとでも呼ぶべきものが、出現するかもしれない。その契機となるのは、柏崎刈羽原発の再稼働である。

福島事故の事後費用は、少なくとも21兆5000億円に達するとされている。(注7) 事故を起こした東電が支払える金額をはるかに超えており、電気料金への算入等を通じて、やがて国民が負担することになるのは避けられない。そうしなければ、福島復興はありえないからである。

しかし、ものごとには順番がある。まずは東電自身が徹底的なリストラを遂行することが重要で、そのあとで初めて、国民負担は行われるべきである。東電の徹底的なリストラとは、柏崎・刈羽原子力発電所の完全売却にほかならない。その売却で得た資金は、全額、福島第一原発の廃炉費用に充当すべきである。

巨額の国民負担が生じるにもかかわらず、事故を起こした当事者である東電が、たとえ他社と連携する形をとったとしても、柏崎刈羽原発を再稼働し、原子力発電事業を継続することになれば、日本国民の怒りは頂点に達する。国民がそのような状況を許すことは、けっしてないだろう。つまり、柏崎刈羽原発の再稼働が起こりえるのは、東電が同原発を完全売却し、当事者でなくなった場合だけだということになる。

東電は、誰に対して柏崎刈羽原発を売却するのだろうか。買い手候補の一番手として名前があがるのは、柏崎市や刈羽村を含む新潟県を供給区域とする東北電力である。ただし、東日本大震災で大きな被害を受けた東北電力は、柏崎刈羽原発を買収するだけの財務力を有していない。国の支援が求められることになるが、直接的な原発国営に関しては、財務省筋からの強い抵抗が予想される。そこで、出番があると考えられるのが、日本原子力発電（原電）である。原電の最大株主は東京電力であるが、東電は現在、国の管理下にあり、原電は、事実上、準国営企業だと言える。

柏崎刈羽原発の売却で、17年に策定された東電の事業再建計画である「新々・総合特別事業計画」（新々総特）は、完全に崩壊する。新々総特は、東電の手による柏崎刈羽原発の再稼働を、事業再建の柱としていたからである。新々総特の崩壊で東電は、火力発電事業からも手を引くことになり、同社と中部電力の合弁で15年に設立された火力事業会社であるＪＥＲＡは、完全に中部電力のものになる。

（注7）　この点については、「福島廃炉・賠償費21・5兆円に倍増　経産省が公表」『日本経済新聞』２０１６年12月9日発信、http://www.nikkei.com/article/DGXLASFS09H0H_Z01C16A2000000/ 参照。

ＪＥＲＡが傘下に入ることにより、「世界最大級の火力発電会社」となる中部電力にとって、再稼働が遅れている浜岡原発の必要性は低下する。同様の事情は、稼働への見通しが立たない大間原発を抱える電源開発㈱（Ｊ―ＰＯＷＥＲ）にも存在する。Ｊ―ＰＯＷＥＲのコア・コンピタンス（中心的な競争力の源泉）は、あくまで高効率石炭火力と系統連結送電線にあり、原子力ではないからだ。そうであれば、中部電力とＪ―ＰＯＷＥＲが、それぞれ浜岡原発と大間原発を、新たに柏崎刈羽原発を運転することになる原電中心の準国営企業に売却する可能性がある。そうなれば、中部電力とＪ―ＰＯＷＥＲは、「非原子力大型電源依存型」モデルをとる電力会社となる。

しかし、あえて直言するならば、ここまで述べてきた「原子力依存型」モデルや「非原子力大型電源依存型」モデルは、電気事業のあるべきコア・コンピタンスを「誤解」していると言わざるをえない。電気事業の真のコア・コンピタンスは、けっして発電力にあるのではなく、停電を起こさない系統運用能力にあるからだ。電気は、基本的には、生産したと同時に消費しなければならない特殊な商品である。発電は他の事業主体でも担いうるが、系統運用は電気事業者にしか遂行できない固有の業務であることを忘れてはならない。

それでは、系統運用能力をコア・コンピタンスとする第3のビジネスモデルは、電力業界に出現しうるのであろうか。この問いに対しては、肯定的に答えることができる。東電による柏崎刈羽原発の完全売却と発送電分離とをきっかけにして、系統運用を最重点課題とする「ネットワーク重視型」モデルが登場する可能性がある。

現時点で「ネットワーク重視型」モデルに最も近い立ち位置にいるのは、東電傘下のネットワーク会社である東電パワーグリッドと、小売会社である東電エナジーパートナーである。柏崎刈羽原発の完全売却によって、これら両社は、原子力事業から切り離される。それでも、東京の近辺の地下を東西および南北に走る27万5000ボルトの高圧送電線を擁し、世界有数の需要密集地域で営業するという特徴を活かせば、両社の経営は維持しうる。従業員にきちんと給与・ボーナスを払いながら、福島への賠償を半永久的に行うことができるだろう。皮肉なことに、福島事故を起こした会社の後継事業体である東電パワーグリッドと東電エナジーパートナーが、原発を含む大型電源と切り離されることによって、未来形の「ネットワーク重視型」モデルの採用において、先頭に立つ可能性が高いのである。

いずれにしても、近未来の電力業界においては、旧態依然とした「原子力依存型」モデル、その亜流である「非原子力大型電源依存型」モデル、そして本来のあるべき姿である「ネットワーク重視型」モデルという三つのビジネスモデルが並存して、錯綜した展開を見せることになるだろう。

ガス小売全面自由化から3年余を経た時点で発信した**エッセイ㊲**は、ガスシステム改革の実情について分析している。その際、とくに注目しているのは、北海道ガスの奮闘ぶりである。

《エッセイ㊲》ガス市場のスイッチングの地域差はなぜ生じるか‥
注目すべき北海道ガスの奮闘

２０２０年６月15日発信

資源エネルギー庁が発表した２０２０年４月末時点のガス小売全面自由化にともなう地域別のスイッチング比率は、近畿が19・２％、中部・北陸が18・０％、関東が14・２％、九州・沖縄が８・６％、全国平均が14・２％であるのに対して、北海道、東北、中国・四国は「数値なし」。北海道、東北、中国・四国、そして北陸では、２０１７年４月の都市ガス小売全面自由化から３年余を経過してもなお、競争らしい競争は起きていない（資源エネルギー庁の集計では中部・北陸を一括視しているため読み取ることができないが、北陸と中部と分割して再集計すれば、北陸も「数値なし」に近い状況であることが判明する）。

それらの地域で競争が起きていないのは、地元の有力ガス会社が電力会社の「逆襲」をおそれて、16年の電力小売全面自由化にもかかわらず、電力市場への参入に消極的な姿勢をとっているからだ。このガス会社の「忖度」を受けて、当該地域の電力会社もガス市場への参入を控えている。その結果が、ガスのスイッチング率が「数値なし」という怪現象にほかならない。

しかし、たった1地域だが、まったくの例外が存在する。北海道だ。北海道では、北海道ガスが果敢に電力市場に攻め込み、北海道電力からの電力のスイッチングに成果をあげている。にもかかわらず、北海道電力は、2020年春の時点で有効な「反撃」を加えることができず、ガス市場への本格的な参入にいたっていない。同じ「数値なし」でも、北海道と東北、北陸、中国・四国とでは、まったく事情が異なるのだ。

その奮闘する北海道ガスの現場を見学させていただきたいと考え、19年12月、真冬の新千歳空港へ飛んだ。訪れたのは、札幌市と石狩市だ。

まず向かったのは、札幌駅北口近くにある北海道ガス本社の新社屋。19年6月に竣工したばかりで、快適で働きやすく、1フロアが間仕切りのない大空間となっており、社員の交流促進や作業の効率化を図る工夫が行き届いていた。

続いて本社ビルの地下に移動し、そこで稼働する、出力7800キロワットのガスエンジン発電機2基を擁する北ガス札幌発電所を見学した。発電効率は50%と、世界最高水準だ。発生電力は、北海道ガスの自営送電線を経て北海道電力の特別高圧系統に接続され、「北ガスの電気」として、市場で販売される。停電時にも起動できるブラックアウトスタート機能を有し、BCP（事業継続計画）に貢献する。

北ガス札幌発電所は、都心の発電所であるため、騒音対策や振動対策に万全を期している。排熱利用にも特徴があり、320℃の排ガスをボイラーに送って190℃の排熱高温水を作り、隣接する北海道熱供給公社の中央エネルギーセンターに供給する。同センターでは、天然ガスと道内産の木質バイオマスを燃料にして温水を自前でも生産しており、隣の北ガス札幌発電所から送られてくる分と合わせて、札幌都心部に高温水供給を行っている。排熱利用分も含めて、北ガス札幌発電所による二酸化炭素削減効果は、年間約2万4800トンに達すると聞いた。

北海道熱供給公社には、北海道ガス・札幌市・北海道が出資しており、北海道ガスの出資比率は約80%に及ぶ。札幌オリンピックの4年前の1968年に、日本で3番目に古い地域熱供給事業者として発足した。現在では、中央を含め、札幌駅南口、赤れんが前、道庁南、創世の5箇所のエネルギーセンターを擁し、札幌中心部の約100ヘクタールのエリアで90件近い顧客に向けて、温熱や冷熱を供給する。エリア内にあるビルの棟数の約30%、延べ床面積の約60%をカバーしているそうだ。

札幌市は、北海道熱供給公社の供給エリアとかなり重なる地域に「都心強化先導エリア」を設定し、2050年までに先導エリア内の分散型電源比率を30%以上にすること、建物から排出される二酸化炭素を12年比で80%削減することなどを目標に掲げる、「都心エネルギーマスタープラン」に取り組んでいる。北海道ガスと北海道熱供給公社は、このマスタープランの実現過程で、中心的な役割をはたすことになるだろう。

北ガス札幌発電所をあとにして、札幌の北4条東6丁目にある北海道ガスの46エネルギーセンターを訪れた。都心まちづくりの重点地区に立地する同センターは、隣接する札幌市中央体育館

（名称は「北ガスアリーナ札幌46」）と分譲マンションへ電気・温水・冷水・融雪温水などを供給しており、まもなく医療福祉・健康増進施設への供給も始めるという。46エネルギーセンターは、地区全体での省エネを進めるＣＥＭＳ（コミュニティ・エネルギー・マネジメント・システム）の担い手となっているのだ。

翌日、札幌から車で小一時間かけて、北海道ガスの石狩ＬＮＧ（液化天然ガス）基地まで足を延ばした。古い話で恐縮だが、「喜びも悲しみも幾歳月」の石狩灯台と「石狩挽歌」のオタモイ岬との中間に位置する。基地内には、容量18万キロリットルと20万キロリットルの２基の地上式ＬＮＧタンクが屹立している。その先の埋立地の突端部分では、出力７８００キロワットのガスエンジン発電機10基を擁する北ガス石狩発電所が、ほぼフル稼働の状況で運転を続けていた。

北海道ガスは、石狩ＬＮＧ基地から、導管、内航タンカー、ローリー車を使って、ＬＮＧを道内各地に供給している。同基地が営業運転を開始したのは12年11月のことであるが、それからは道内のガス供給の屋台骨を支え続けている。

一方、北ガス石狩発電所は18年10月に営業運転を開始し、その１カ月前の全道ブラックアウトによって生じた「北海道の電力危機」の解消に貢献した。ちなみに、北海道電力の最初のＬＮＧ火力発電所である石狩湾新港発電所が営業運転を開始したのは、それから４カ月後の19年２月のことである。ＬＮＧ火力発電所の運転開始に関してガス会社が電力会社より先行したのは、全国でも北海道だけである。

都心部でのＣＥＭＳの運営や面的な冷熱供給、ＬＮＧ基地・火力発電導入のスピードなどは、北海道ガスの先進性の十分な証左だと言える。冬の北国で、そのことをしっかりとこの目で確認することができた。

【10年後の状況と今後の展望】

［発送電分離のメリットとデメリット］

２０２０（令和２）年４月、一連の電力システム改革の仕上げとして、発送電分離が実施された。まず、発送電分離のメリットについて確認しておこう。

発送電分離の第１のメリットは、電力市場における競争がいっそう活発化することである。とくに、２０１６（平成28）年の電力小売全面自由化によってはずみがついた、地域を越えた旧一般電気事業間の競争が、一段と激しさを増すであろう。

第２のメリットは、分散型電源の拡充を促進することである。東京電力・福島第一原子力発電所事故後の日本では、原発依存型のエネルギー政策は根本的な見直しを余儀なくされ、将来的には、再生可能エネルギーを主力電源とする方向性が打ち出されるにいたった。再生可能エネルギーを利用した発電を普及させるためには、分散型電力供給網の拡充が効果的である。発送電分離は、再生可能エネルギー発電などの分散型電源の拡充に資するだろう。

一方で、発送電分離には、デメリットもある。最大のデメリットは、高い系統運用能力という日本電力業のもつ宝に傷をつけるおそれがあることである。わが国の電気事業の最も優れた要素は、停電を回避する系統運用能力の高さにある。そして、それは、長いあいだ続いた発送配電一貫の垂直統合体制の下で培われてきたものである。したがって、発送電分離が高い系統運用能力という日本電力業の宝に傷をつけることにならないか、と心配されるのである。

これらの事情をふまえれば、発送電分離の実施過程においては、慎重な制度の設計と運用が必要だということになる。そのことを前提として、本章では、前向きな論点を検討する。それは、発送電分離をきっかけにして、日本の電力業界のビジネスモデルがどのように変化するか、という論点である。

〔ネットワーク重視型の新しいビジネスモデル〕

表2は、**エッセイ㉞**でも論じた、発送電分離後の日本の電力業界で見込まれる三つのビジネスモデルをまとめたものである。こ

表２　発送電分離後の日本の電力業界におけるビジネスモデル

競争力の源泉	ビジネスモデル	起点となる電力会社	コメント
発電力	原子力依存型	関西電力・九州電力・四国電力	3.11以前に「先祖返り」するおそれ
	火力依存型	中部電力（JERA）・J-POWER	脱原子力に新味、ただし中途半端
系統運用能力	ネットワーク重視型	東京電力パワーグリッド	未来型の電力経営の可能性

（出所）筆者作成。

の表にもとづいて、議論を進めよう。

ここで想起すべきは、**エッセイ㉞**でも強調したように、電気事業の真のコア・コンピタンスが、けっして原子力や石炭火力などの発電力にあるのではなく、停電を起こさない系統運用能力にある点だ。電気は、基本的には、生産したと同時に消費しなければならない特殊な商品である。発電は他の事業主体でも担いうるが、系統運用は電気事業者にしか遂行できない固有の業務であることを忘れてはならない。

それでは、系統運用能力を競争力の源泉とする新しいビジネスモデル、つまり「ネットワーク重視型モデル」は、電力業界に出現しうるのであろうか。現時点でネットワーク重視型モデルに最も近い立ち位置にいるのは、東京電力傘下のネットワーク会社である東京電力パワーグリッドである。発送電分離によって同社は、原子力事業から切り離された。それでも、**エッセイ❺**で言及したように、東京近辺の地下を東西および南北に走る27万5０００ボルトの高圧送電線を擁するという特徴を活かせば、同社の経営は維持しうるのである。

エネルギーに関する最近の政府の審議会では「送電の広域化、配電の分散化」という議論がさかんに行われている。このことは、将来的には、発送電分離を超えて送配電分離が行われる可能性があることを示唆している。そうなれば、配電は電力小売と一体化してより分散的な供給体制をめざすであろうが、対照的に送電は広域化することになる。

日本では電気の周波数が、東は50ヘルツ、西は60ヘルツと分割されている。送電広域化の流れを受けて東京電力パワーグリッドは、同じ周波数の東北電力の送電会社（東北電力ネットワーク）との経営統合を志向するだろう。そうなれば、東日本の周波数50ヘルツ地帯を広域にカバーするＴＳＯ（Transmission System Operator：送電系統運用者）が出現することになる。なお、同じ周波数であっても、北海道電力の送電会社（北海道電力ネットワーク）は、本州・北海道間の連系が脆弱であるため、この統合の対象にはならない。

東日本での広域ＴＳＯの出現は、西日本の60ヘルツ地帯でも、広域ＴＳＯの登場を促すことになるだろう。西日本の場合には、送電線が連系されていない沖縄電力を除く、中部電力から九州電力までの送電会社が統合の対象となる。

このように、発送電分離は、送電発の大規模な業界再編の契機となる可能性がある。

【原発依存型・火力依存型モデルの残存】

とはいえ、目下のところ電力業界では、旧態依然の「原子力依存型」モデルが支配的である。これに対して、原発依存型モデルとは異なる、「火力依存型」モデルとでも呼ぶべきものが、出現するかもしれない。その契機となるのは柏崎刈羽原発の再稼働であり、中部電力（ＪＥＲＡ）やＪ―ＰＯＷＥＲが火力依存型モデルをとるにいたるプロセスについては、**エッセイ❺**と**エッセイ㉞**で説明したとおりである。

しかし、あえて直言するならば、ここで述べてきた原子力依存型モデルや火力依存型モデルは、電気事業のあるべき競争力の源泉を「誤解」していると言わざるをえない。電気事業の真の競争力の源泉は、けっして発電力にあるのではなく、停電を起こさない系統運用能力にあるからだ。発送電分離を機に登場するかもしれないネットワーク重視型モデルに期待が高まるのは、このためである。

[ガス事業への影響]

発送電分離が実施によって、電力・ガスのシステム改革は佳境を迎えた。システム改革後のエネルギー大競争時代において最終的な勝者となるのは、(1)熱を制する者、(2)分散型システムを制する者である。(注8)現時点では、電気事業者に比べて、ガス事業者に一日の長がある。ガス事業者の方が、(1)に関しては熱の管理にたけており、(2)については、分散型システムの核となるコジェネレーション（cogeneration：熱電併給）に通暁しているからである。

しかし、発送電分離を通じて電力業界に新しいビジネスモデルが誕生すると、ガス業界の優位は揺るぎかねない。これまでのところ電気事業者の多くは、電力業界のコア・コンピタンスは原子力・石炭火力・LNG火力などの発電力にあると「誤解」している。しかし、電力業界の真のコア・コンピタンスは、停電を起こさない系統運用能力にある。

発送電分離の結果、全国各地に生まれるネットワーク会社は、真のコア・コンピタンスが系統運用能力にあることに気づく可能性が高い。また、最近の政府審議会では「送電の広域化、配電の分散化」という議論がさかんに行われているが、将来的には、発送電分離を超えて送配電分離が行われるかもしれない。そうなれば、配電と電力小売を一体的に担い、分散型系統運用と熱電併給を志向する新しいビジネスモデルをもつ電力会社が登場するだろう。

デンマークでは、コジェネレーションと温水による熱供給とを組み合わせた効率的な仕組みが普及している。(注9) 温水による熱供給については、都市ガスによる熱供給とカニバリゼーション（共食い）を起こしかねないため、ガス事業者は二の足を踏む。一方、自社事業との共食いの心配がない電気事業者は、分散型系統運用と結びつけて、デンマーク式の温水による熱供給を始める可能性がある。

発送電分離は、ガス事業者にとって無縁の出来事では、けっしてない。分離後に電力業界に新しいビジネスモデルが登場し、ガス事業の拠って立つ基盤を脅かすことになるかもしれない。

（注8） この点については、第10章で詳しく後述する。
（注9） この点についても、第10章で詳しく後述する。

第4章　シェール革命

【事実経過】

東京電力・福島第一原子力発電所事故を機に日本国内でエネルギー改革をめぐる議論が活発化していた時、アメリカでは、世界のエネルギー供給構造を一変させるような出来事が進行していた。いわゆる「シェール革命」が、それである。

２０１５（平成27）年7月に閣議決定・国会報告された「平成26年度エネルギーに関する年次報告」（「エネルギー白書２０１５」）は、シェール革命について、以下のように説明している。

「シェールオイル・シェールガスのシェール（Shale）とは、頁岩《けつがん》という、泥が固まった岩石のうち、薄片状に剥がれ易い性質を持つ岩石のことです。

太古の海や大河の河口では、水中のプランクトンや藻類などの有機物が、死後に沈降、堆積し、バクテリアによる分解作用を受け変質して腐食物質（ケロジェン）に変化します。ケロジェンを含んだ堆積物がさらに地下深くに埋没すると、地熱や圧力により化学変化して石油分やガス分ができます。頁岩からなるシェール層の石油分やガス分は、外部に移動する一方で、シェール層の岩石の隙間に残っていることがあります。地下の比較的浅い部分のシェール層の中には石油混じりの資源が、さらに深くなれば熱分解が進んでガスがあると考えられています。これらが、シェールオイルやシェールガスであり、これらの生成反応は数千万年から数億年という長い時間をかけて行われてきました。

米国において、従来は経済的に掘削が困難と考えられていた地下2000メートルより深くに位置するシェール層の開発が2006年以降進められ、シェールガスの生産が本格化していくことに伴い、米国の天然ガス輸入量は減少し、国内価格も低下していきました。これが、いわゆる『シェール革命』であり、エネルギー分野における21世紀最大の変革であるとともに、世界のエネルギー事情や関連する政治状況にまで大きなインパクトを及ぼしています（注10）」。

掘削が困難だと考えられていたシェールガスやシェールオイルの掘削を可能にしたのは、①水平坑井、②水圧破砕、③マイクロサイズミック、という三つの技術革新であった。①は、地上から垂直方向に掘削したのち、シェール層に到達すると、水平方向に向きを変え、「石油やガスが閉じ込められた岩石の層に沿った掘削を可能とする」（注11）技術である。②は、「石油やガスが存在する地層に圧縮した液体を流し込んで圧力をかけ（フラクチャリング）、それによって生じた人工的な割れ目（フラク

（注10）経済産業省編『エネルギー白書2015』、2015年、8―9頁。
（注11）同前9頁。

チャー）により、石油やガスの流れにくさを改善する技術であり、浸透率の低い岩石から生産を行うためには不可欠なもの（注12）」である。そして③は、「フラクチャー形成の際に発生する地震波を観測・解析し、フラクチャーの進展を検知する手法で、石油やガスの回収率向上に貢献（注13）」する。①②③の技術それ自体は、個別には以前から開発されていたが、それらが統合・高度化されることによって、シェール革命が実現したのである。

シェール革命の進行によって、アメリカの天然ガス生産量は、２００６年から拡大に転じ、その後急増した。そして、「二〇一三年の生産量は24・3兆立方メートルに達し、米国は今や世界最大の天然ガス生産国となっ（注14）」た。

シェール革命のもとで、アメリカの天然ガス生産だけでなく、原油生産もまた急拡大した。18年にアメリカは、ロシア、サウジアラビアを抜いて、45年ぶりに世界最大の産油国に返り咲いた。そして、19年9月には原油・石油関連製品で輸出量が輸入量を上回り、アメリカは、70年ぶりに石油純輸出国として「復活」したのである。

【5編のエッセイ】

２０１０年代に筆者は、アメリカのシェール革命にかかわる現場を何度か見学した。この章では、その際の経験をもとに発信した5編のエッセイを紹介する。最初に取り上げるのは、２０１４（平成

26）年7月発信の**エッセイ❽**である。

《エッセイ❽》変容しつつも継続するシェール革命

2014年7月21日発信

2013年9月、「ガスエネルギー新聞北米視察ツアー」の視察団長として、デンバー周辺の再生可能エネルギー利用研究施設、サンアントニオ周辺のシェールガス関連施設などを見学した。視察ツアーは、そのほかサンディエゴ周辺のスマートコミュニティ関連施設も訪れたが、残念ながら筆者は、大学院入試と審議会の日程の都合で、サンディエゴ周辺の視察には参加することができなかった。ここでは、北米視察ツアーのハイライトとなったシェールガス関連施設の見学で得た知見をまとめることにしよう。

2012年春にダラス付近のバーネット・シェールガス田を見学したことがあるが、当時と比

（注12）同前10頁。
（注13）同前10頁。
（注14）同前12頁。

べて、米国のシェールガス事情は変化をとげていた。その間に米国での天然ガス価格は、MMBTU（百万熱量単位）当たりでいったん2ドルまで低落し、その後若干回復したものの、現状でも4ドル弱にとどまっている。(注15)このため、リーンガスを産出するシェールガス田の開発、生産にはブレーキがかかり、プロパン、ブタン等を含み付加価値が高いリッチガスを産出するシェールガス田に、開発、生産の重点が移行した。リーンガス田に代わってリッチガス田が、シェールガス革命の牽引役になっていたのである。

今回見学させていただいたエンタープライズ・プロダクツ・パートナーズ社のヨーカム（Yoakum）のプラントでは、近くのイーグルフォード・シェールガス田で産出されたリッチガスをパイプラインで集め、それからメタンとNGL（天然ガス液）を分離、生産している。3トレイン合計のNGLの生産能力は日産14万4000バレルに及び、北米一の規模を誇る。13年竣工したばかりのプラントはピカピカで美しく、シェールガス革命の新たな主役にふさわしいたたずまいを見せていた。

ヨーカムプラントで生産されたNGLは、ヒューストン近郊のモントベルビューにパイプラインで搬送され、化学工場等に供給されるとともに、約20％は輸出される。エンタープライズ社の輸出先には、日本のLPガス卸売大手であるアストモスエネルギーやENEOSグローブが含まれる。エンタープライズ社の説明によれば、2013年にアメリカは、カタール、アラブ首長国連邦、サウジアラビアをおさえて、世界一のプロパン輸出国になるそうである。リッチガスに軸足を移したことにより「シェールガス革命」は「シェールLPガス革命」の性格をもあわせもつようになってきたが、そのことは、今日支配的なサウジアラムコの契約価格（CP）によるLPガス国際価格の一方的な決定という枠組みを、大きく揺るがしつつある。そのことを実感できた、今回の視察であった。

一方で見落としてはならないのは、リッチガス開発に重点が移行したとはいえ、ともかくもシェールガス田の開発、生産が継続していることは、シェールガス由来の天然ガスの供給量が増え続けていることを意味する点である。バスの車窓からは、イーグルフォード地区のあちこちでシェールガスの採掘が行われていることを確認することができた。シェール革命の勢いは衰えていないのであり、日本の都市ガス業界は、買い手市場に向かいつつある有利な状況をぜひとも有効に活用しなければならない。

アメリカにおけるシェールガスの生産拡大は、日本向けガス輸出の増加につながった。ただし、その際、シェール天然ガスの対日輸出より、シェールLPガスの対日輸出の方が先行した点に特徴があった。**エッセイ❽**や**エッセイ⓫**が、シェール革命一般ではなく「シェールLPガス革命」に注目しているのは、そのためである。

（注15） おもにメタン成分を含む軽質ガス。

《エッセイ⑪》シェールLPガス革命の進行

2016年2月8日発信

アメリカで2000年代半ばから本格化したシェール革命は、天然ガス、LP（液化石油）ガス、原油の供給のあり方を大きく変え、世界のエネルギー構造全体を変革するインパクトを発揮しつつある。シェール由来の天然ガスの日本向け輸出も、いよいよ2017年にスタートする見通しであるが、それより先行して実現したのがシェール由来のLPガスの輸入である。シェールLPガス輸入は13年に始まり、徐々に規模を拡大しており、その影響力は、東アジア市場で支配的であったサウジアラムコのCP（契約価格）制を揺るがすまでになっている。

筆者は、シェール革命の本場であるアメリカ・テキサス州を、12年4月、13年9月、14年3月、15年8月の4回にわたって訪れた。12年と13年は主として都市ガス会社、14年は三菱ケミカルホールディングズ、15年はLPガス大手のTOKAIグループの方々と、それぞれご一緒させていただいた。

12年にまず訪ねたのは、テキサス州バーネット地区にあるフォートワース市内のChesapeake社の掘削現場とQuicksilver社の水圧破砕現場であった。その後、シェールガス田の見学は、敷居が高くなったと聞く。シェール革命をもたらした水平掘削、水圧破砕、マイクロサイズミック（割れ目形成の際に発生する地震波を観測・解析し、割れ目の広がりを評価する技術）の3大技術革新の実態を目の当たりにすることができた貴重な機会となった。

12年には、テキサス州からさらに足を延ばして、隣州のルイジアナ州にあるCheniere社のサビンパスLNG（液化天然ガス）基地も見学した。シェールガス革命の発生によりCheniere社は、ビジネスの重心をLNG輸入からLNG輸出へ180度転換し、4系列年産1500万トンのガス冷却設備を建設して、全米の先陣を切りLNG輸出を開始する準備を進めていた。すでにイギリスのBGグループ、スペインのFenosa社、インドのGAIL社、韓国のKOGAS社と、LNG供給の長期契約を締結済みだった。

それから1年半後、13年にテキサス州西部のイーグルフォード地区にあるEnterprise社のヨーカムプラントを訪れた際には、シェールガス革命がある変容を遂げていることを告げられた。アメリカでの天然ガス価格の下落を受けて、メタン中心のドライなリーンガスを産出するシェールガス田の開発、生産にはある程度ブレーキがかかり、プロパン、ブタン等を含み付加価値が高いウエットなリッチガスを産出するシェールガス田に、開発、生産の重点が移行していたのである。（中略）

14年には、Enterprise社のヨーカムプラントから送られるNGLの受入れ地区となっているヒューストン郊外のモントベルビューを訪れた。シェール革命の本格化によりアメリカの化学工業は息を吹き返し、国際競争力を一挙に強めたが、なかでもシェール革命の恩恵を最も受けたのはエタンクラッキングのビジネスである。モントベルビューに程近いベイタウンで建設中であったChevron Phillips社の年産150万トンのエタンクラッカーの威容は、きわめて印象的だった。

15年にヒューストンを訪れると、14年夏以来の原油価格下落の影響で、原油・天然ガス関連サービス分野の雇用は減少していた。しかし、パイプライン輸送分野の雇用は堅調な伸びを維持しており、シェール由来のガスを原料とする化学産業関連の設備投資はむしろ勢いを増していた。それを象徴するように、シェールオイル・ガス田での生産自体を事業対象とせず、パイプライン事業や貯蔵事業、卸売事業を主業とするEnterprise社は、積極的な拡張戦略を続けており、いつのまにか「フォーチュン500」の第56位にまでかけ上がって、「シェール革命の申し子」とも言える存在になっていた。

ヒューストンシップチャネルに面したEnterprise社の輸出基地では、冷却施設や港湾設備の新増設が活発に行われていた。そこで、ＶＬＧＣ（Very Large Gas Carrier）と呼ばれる4万4000トン級の大型ＬＰガス輸出船を目の当たりにすることができたことは、幸運であった。

エンパイアステートビルをすっぽり入れてもなお余りある、巨大な地下岩塩内貯蔵庫を30箇所以上も擁する、ヒューストン郊外モントベルビューのEnterprise社の加工・貯蔵基地でも、大規模な拡張工事が続いていた。道路をはさんだ反対側では、同社のライバルであるTarga

Resources社も、設備投資に余念がなかった。

15年のEnterprise社本社（ヒューストン）訪問時には、パナマ運河まで足を延ばした。同運河を、太平洋側から遡上し、ミラフローレンス閘門を抜け、ペドロ・ミゲル閘門の先まで航行した。進行方向左側の陸上では、パナマ運河の拡幅工事が行われていた。この拡幅工事が完成すると、VLGCがパナマ運河を通過できるようになる。喜望峰回りであったため、これまでを45日かかったVLGCのテキサス・日本間の航海日数は、22日に短縮される。シェール革命は、「シェールLPガス革命」が先導する形で、日本経済に肯定的な影響を及ぼし始めている。

日本向け輸出の点ではシェールLPガスに遅れをとったとはいえ、アメリカでシェール革命を牽引したのは、あくまでもシェール天然ガスであった。17年11月に発信した**エッセイ⑱**は、当時のアメリカにおける天然ガス生産の活況ぶりを伝えている。

《エッセイ⑱》アメリカの天然ガス事情

2017年11月20日発信

２０１７年の8月、アメリカの天然ガスにかかわる二つの現場をまとめて見学する機会があった。訪れたのは、テキサス州東部・ヘインズビルのシェールガス田、およびルイジアナ州・キャメロンのＬＮＧ（液化天然ガス）輸出基地である。

テキサス州ダラスから東へ約２６０キロメートル、車で３時間の距離にあるヘインズビルのシェールガス田では、カッセージにあるフィールドオフィスで、まず詳しい説明を受けた。同地にはもともと、地下のタイドサンド層から天然ガスを産出する従来型のコットンバレー層のガス田が稼働していたが、それより深いシェール層からの天然ガス産出が新たに可能となり、ヘインズビル層のガス田の開発が始まったという。コットンバレー層ガス田自体もかつての勢いはないがまだ生産を続けており、同ガス田とヘインズビル層ガス田とが、同時に稼働する形になっている。産出されるガスは、メタン中心のリーンな成分であると聞いた。

カッセージのフィールドオフィスを運営するのは、ＣＣＩ（キャッスルトン・コモディティーズ・インターナショナル）社の子会社であるＣＲ（キャッスルトン・リソーシズ）社である。東京ガスは、１００％出資子会社である東京ガスアメリカ社を通じて、17年にＣＲ社の30％の株式を取得した。(注16)ヘインズビル層のシェールガス開発事業やコットンバレー層のタイトサンドガス開発事業は、東京ガスが近年積極的に展開する国際化戦略の重要な一環を占めているのだ。

圧巻だったのは、フィールドオフィスから車で20分ほど走った森の中にあるシェールガス掘削現場である。中央に陣取ったタワー状の巨大な掘削リグが次々と径5・5インチの鉄パイプ

（ケーシング）を地中に送り込み、掘削作業の第一段階が終了して、補強のためのセメント注入が始まる直前であった。1本10メートル弱の鉄パイプは3本つなげたうえで掘削リグに運ばれ、そこですでに埋設されたケージ下を掘り進む。地中を垂直方向に約3000メートル進み、シェール層に達したところで、水平方向に進路を変えて、さらに2000メートル進む。すべての掘削作業が完了すると、水圧破砕が行われ、シェールガスの生産が始まることになる。

12年にダラス付近のバーネットのシェールガス田を見学したことがあるが、その時との大きな違いに気づいた。掘削作業を円滑に進めるために掘削機の先端で潤滑油の役割を果たす水ベースのマッド（泥）と油ベースのマッドの使用区間を最適化する、なるべく近い場所に井戸を次々と掘り高コストの掘削リグのレンタル期間を最小化する、生産量が縮小したシェーガス田の砂のクリーンアウト（水の排出を含めた坑内クリーニング）による、低コストで生産性を高めるための取組み）を実施する（今回は、その現場も見学することができた）、などの生産性を向上させるための工夫が随所に施されているのだ。この生産性向上の努力こそ、12年時点と異なり原油価格が下落して天然ガス価格が下がっている厳しい状況下でも、アメリカのシェールガス開発が継続できている要因の一つなのであろう。

テキサス州ヒューストンから東へ約240キロメートル、州境を越えて車で2時間半の距離に

（注16）浸透率が低い砂岩に含まれる天然ガス。

あるルイジョアナ州キャメロンのＬＮＧ輸出ターミナルでは、18年末の竣工へ向けて建設工事がまさに佳境を迎えていた。キャメロンのターミナルは、もともとＬＮＧ輸入のために開設され、ＱフレックスのＬＮＧ船（注17）が横付けされてＬＮＧを輸入した実績をもつが、その後のシェールガス革命の進行によって、新しくＬＮＧの輸出ターミナルとして生まれ変わることになった。アメリカのセンプラエナジーを中心にして、日本のジャパンＬＮＧインベストメント（三菱商事が70％、日本郵船が30％出資する合弁会社）と三井物産、フランスのエンジーが共同出資して14年に設立したキャメロンＬＮＧ社が、プロジェクトのオペレーターとなっている。

人里離れた湿地帯に位置するキャメロンの現場では、１トレイン年産４００万トンの天然ガス液化装置が３基、同時に建設されており、壮観だった。訪問時には、約１万人が働いていた。新設する主要な液化装置も、既存の３基のＬＮＧタンク（それぞれ容量14万キロリットル）も、洪水の被害を防ぐため「高床式」になっている点が、目を引いた。景観を維持するため、通常の煙突状のフレアではなく、グランドフレアを採用することも特徴的である。

建設工事自体はアメリカのＣＢ＆Ｉ（シカゴ・ブリッジ・アンド・アイアン）と日本の千代田化工建設が担当しており、訪問時点で工事の進捗率は70％超とのことだった。今後、さらに２トレインの天然ガス液化装置を建設することについて、アメリカ政府当局の許可を得ているそうだ。その場合には、ＬＮＧタンクを２基、増設することになると聞いた。

キャメロンの建設現場からヒューストンにもどる途中、やはり12年に訪れたことがあるルイジアナ州・サビンパスのＬＮＧ輸出基地を遠望することができた。５年前にはなかった天然ガス液化装置が姿を現し、キャメロン基地より一足早くサビンパス基地は、フル稼働していた。

シェールガス革命のダイナミズムは、さらに勢いを増している。それを実感することができた今回のアメリカ行であった。

アメリカで進行するシェール革命は、当初、「シェールガス革命」の様相を呈していたが、２０１０年代半ばごろから徐々に「シェールオイル革命」の性格をあわせもつようになった。シェールオイル革命の進展とともに、アメリカ系スーパーメジャーの石油関連投資は活発化した。19年7月発信の**エッセイ㉖**は、その模様を描いたものである。

《エッセイ㉖》　エクソンモービル・ベイタウン製油所で見たもの：巨額投資計画の背景にある自信

２０１９年7月29日

（注17）　21万㎥級のＬＮＧ船。

２０１９年の3月、エクソンモービルの主力工場であるテキサス州のベイタウン製油所を見学する機会があった。ヒューストンのダウンタウンから車で東へ小一時間ほど走ったところに、世界の耳目を集め続けてきた、そして今も集め続けるこの製油所は立地する。

土地柄、周辺にも大きな生産設備が林立するが、ベイタウン製油所の巨大さはひときわ目につく。それもそのはず、同製油所の原油処理能力は、日本最大のＪＸＴＧエネルギー水島製油所のそれ（32万２００バレル／日）の2倍近い58万４０００バレル／日に達するのだ。訪問した時点で、全米第2位、世界第9位の規模だという。

ベイタウン製油所には、化学製品製造装置も併設されている。18年7月には、年産１５０万トンに及ぶエタンクラッカーが操業を開始したばかりだ。

ベイタウン製油所には、４基の常圧・減圧蒸留塔（エクソンモービルは「パイプスティル」と呼ぶ。日本では、通常、常圧蒸留装置は「トッパー」と呼ばれる）のほかにも、充実した2次装置が並ぶ。2基の流動接触分解装置（ＦＣＣ）に加えて、ディレイドコーカーとフレキシコーカーが1基ずつある。このうちフレキシコーカーは、ＥＲＥ（エクソンリサーチ＆エンジニアリング）社が開発した技術を体現したもので、世界に5基しかないという。さらに、14基の水素化関連装置、２基の接触改質装置（ＣＲ）、１基のラフィネート水素化転化装置（ＲＨＣ）も擁している。

化学品製造装置の規模も大きい。ガス由来とナフサ由来を合わせるとエチレンの生産能力は年産480万トンで、世界最大規模だ。日本全体のエチレン生産能力（2016年末で615万5000トン）の8割近くに達する。

ベイタウン製油所で勤務するエクソンモービルの社員は、約3600人。このほか、約6000人の契約会社の従業員が働いている。

ビジターセンターで説明を受けたのち、ツアーバスに乗って、ベイタウン製油所を見学した。車内で案内してくださったのは、長いあいだ同製油所で勤務していた75歳になるOBだ。今でも現場への愛情にあふれる彼の説明は、歴史をひも解くことから始まった。

製油所の建設が始まったのは、見学時からちょうど100年前の1919年。翌20年には、操業を開始した。現在の敷地に立地することになった理由は二つ。目の前に水運の便が良いヒューストンシップチャネルが通っていることと、当時、近くで油田が発見されたことだ。現在でも、水深約40フィート（12メートル強）のシップチャネルは、ヒューストン周辺に集積する諸工業関連施設の物流を支える大動脈となっている。一方、ベイタウン製油所の地元のテキサス州は、今でもシェールオイルの開発に沸き、油田地帯であり続けている。

ベイタウン製油所の構内をめぐってみて、古い施設が多いことに少々驚かされた。実際に、常圧・減圧蒸留塔のうち1基は1946年に建造されたものだし、2基の流動接触分解の建造年も49年と58年だ。古い設備に補修を重ねながら、大事に使っていく。これが、同製油所の一つの顔のようだ。

しかし、ベイタウン製油所には、もう一つの顔がある。状況の変化に対応して、柔軟に姿を変えていく顔だ。近年、国際海事機関（ＩＭＯ）が船舶用燃料の硫黄酸化物（ＳＯＸ）規制を強めていることからもわかるように、含有硫黄分が少ない石油製品へのニーズが高まっている。このような状況下、ベイタウン製油所は、コーカーを建設したことに加え、２０１０年にはウルトラローサルファの軽油を製造する装置（ＨＵ10）の運転を開始した。今後も、石油製品の含有硫黄分を抜本的に削減する措置の建設を予定している。

ベイタウン製油所は、一時期、重質原油を分解することを重視する方針をとった。しかし、軽質原油であるシェールオイルの増産が進むと、逆方向へ方針転換した。また昨今、同製油所は、エチレン生産の原料をナフサからガスへ劇的に変化させた。これが、シェールガス革命の進行に対応したものであることは、言うまでもない。

バスツアーを終えてビジターセンターにもどり、担当者の方から、エクソンモービルが発表した２０１８年版のエネルギーアウトルックの説明を受けた。このアウトルックは、16年の実績値と40年時点での予測値とを比較したものであるが、供給面では、石油が年率０・７％の増加、ガスが同１・３％の増加、石炭が同０・１％の減少、非化石エネルギー（再生可能エネルギーと原子力）が同１・６％の増加、全体では同０・９％の増加、と見通している。

石油の見通しが思いのほか高いのが印象的であるが、その根拠となっているのは、世界全体でみればエネルギー需要が増大すると見込まれること、モビリティ（車・船舶・航空機）用の石油需要は乗用車については20年代にピークアウトするものの、商用のウエートが大きいため、全体としては30年代半ばまで増加すると予想されること、などの事情である。「石油メジャーによるアウトルックだから石油に甘いのは当たり前」という安易な見方ではかたづけられない、説得力が感じられた。

このアウトルックも参考にしてエクソンモービルは、見学直前の19年3月に、20年末へ向けて、年平均３２０億ドル（約３兆５８００億円）にのぼる投資増強計画を発表した。その多くが、設備投資に振り向けられるという。「大丈夫だろうか」と思わせるほど巨額な投資であるが、少なくともベイタウン製油所で出会ったエクソンモービルの人々は、現役組もリタイア組も、自信に満ちあふれていた。その基底には、誰もが認める石油のメインステージで世界のエネルギー供給を支えているのだという、強い使命感が存在するように思えた。それこそが、メジャーの底力であろう。

この章の最後に紹介するのは、19年１０月に発信した**エッセイ㉗**である。このエッセイからわかるように、アメリカでのシェールガス事業は、日本企業の海外直接投資の対象となっている。

《エッセイ㉗》 シェールガス革命とコーブポイントLNG基地

２０１９年10月21日

２０１９年の８月、アメリカ・メリーランド州ラズビーに立地するコーブポイントＬＮＧ（液化天然ガス）基地を訪問した。同基地は、首都ワシントンＤＣから車で南東へ約１時間半走ったところにある。

アメリカのサビンパスとキャメロン、カタールのラスラファン、オーストラリアのイクシス、ロシア（サハリン）のプリゴロドノエといくつかのＬＮＧ基地を訪れたことがあるが、それらの多くは、人里離れた場所に立地する（イクシスだけは、ダーウィンの市街地に比較的近い）。コーブポイントは、それらとはかなり趣を異にする。基地と隣接して、瀟洒な住宅が点在する。しかも、基地は森に囲まれているのだ。

この二つの特徴は、密接に関連している。住宅地に近いからこそ、コーブポイントのＬＮＧ基地は、環境保全に人一倍気をつかっている。その結果、約１０００エーカー（１エーカー＝４０４７平方メートル）の用地のうち基地施設に使っているのは１３１エーカーにとどまる。用地の一部は地域住民に開放された公園となっており、大半は鹿が住む森となっているのだ。

このような事情から、コーブポイントLNG基地には、拡張の予定がない。能力が525万トンの液化施設が、1トレイン稼働するだけだ。コーブポイントの現場に立つと、設備のコンパクトさに驚かされるが、それは、トレイン数が少ないからでもある。

環境保全への注力を象徴するのは、基地をぐるりと取り巻く高さ18メートルの防音壁だ。それがもたらす静けさと森に囲まれた立地のゆえに、近くを通っても、そこにLNG基地があるとは気づかない人も多いそうだ。

環境保全のもう一つの象徴は、沖合2キロメートルにある洋上バースとのあいだを結ぶパイプラインを、海底トンネルのなかに設置したことだ。これは、景観の維持や水域の保護に効果をあげている。

コーブポイントの液化基地の構内では、さまざまな工夫がこらされている。前処理工程で酸性除去に使用するアミン溶液を循環・再生させるシステムをもつ、液化工程では主冷却熱交換器(MCHE)を擁しプロパン冷媒と混合冷媒を使って冷却する、ガスタービン・プロパン圧縮機・混合冷媒圧縮機・補助モーターを一軸でつなげる、排ガスを有効に活用し冷却用ガスタービンの運転や発電・熱供給用蒸気の製造を行う、景観維持・大気保全の観点からグランドフレアを採用する、天然の池を数カ所設けて雨水を管理する、などがそれである。

コーブポイントLNG基地をめぐるビジネスモデルは、やや複雑だ。同基地を所有し、液化加工受託(トーリング)方式で運営するのは、全米でユーティリティ事業を手広く展開するドミニオン社。基地使用権者は、日系のＳＴコーブポイント社とインド系のゲイル・グローバル（アメリカ）ＬＮＧ社だ。両社は、各々年間２３０万トンずつ、天然ガスの液化をドミニオン社に委託している。コーブポイントの設備能力（５２５万トン／年）と両社からの受託合計量（４６０万トン／年）との差は、予備能力である。

ＳＴコーブポイント社は、住友商事が51％、東京ガスが49％出資する合弁会社である。ＳＴコーブポイント社がドミニオン社にコーブポイントでの液化を委託する天然ガスは、住友商事の１００％子会社であるＰＳＥ社が、天然ガスの採掘に携わるキャボット社とアメリカのガス市場から調達する。一方、コーブポイントで製造されたＬＮＧは、約１４０万トン／年が東京ガスに、約80万トン／年が住友商事を通じて関西電力に、それぞれ輸出される。以上が、コーブポイントＬＮＧ基地をめぐるビジネスモデルの概要だ。

ドミニオン社とＰＳＥ社が液化加工委託契約を結んだのが12年。13年には、住友商事と東京ガスの子会社（ＴＧプラス）がＬＮＧ売買に関する基本合意書を締結し、アメリカ・エネルギー省（ＤＯＥ）がコーブポイント液化基地からの非ＦＴＡ締結国（日本を含む自由貿易協定未締結国）向けのＬＮＧ輸出を条件付きで許可した（最終許可は15年）。14年には、ＳＴコーブポイント社が設立され、ＦＥＲＣ（アメリカ・連邦エネルギー規制委員会）がコーブポイント基地の建設を許可して、工事が開始された。そして、18年４月にドミニオン社が、コーブポイント液化基地の商業運転開始を宣言したのである。

このように、コーブポイント基地は、シェールガス革命によって可能になったアメリカからのLNG輸出プロジェクトのうち、早期に操業を実現した事例である。同様の事例の先陣を切ったルイジアナ州のサビンパス基地がそうであったように、コーブポイント基地もまた、LNG輸入基地から転身した輸出基地であり、輸入基地としての諸施設を活用しえたことが、早期輸出開始の要因となった。1978年にLNG輸入を開始したコーブポイント基地では、今でも、部分的ではあるが、輸入業務を継続している。

アメリカでのシェールガスの生産コストは低いため、それを輸入することは、日本にとって、天然ガス調達コストを低減させる可能性を高める。また、従来のLNGとは異なり、仕向地条項（荷揚げ場所を特定し第三者への転売を禁止する条項）の束縛がないことも、魅力的である。早期に輸出を開始したコーブポイント基地は、まさに、シェールガス革命の恩恵を日本にも波及させる架け橋となっている。

【10年後の状況と今後の展望】

［ゲームチェンジャーとしての「シェールLPガス」］

資源小国である日本は、多くのエネルギー源の確保を海外からの輸入に依存している。輸入先を特定国・特定地域に集中させることなく、新たな輸入先を開拓することは、Energy Security（エネルギーの安定供給）の強化に貢献する。また、多様な輸入先が存在することは、競争原理の作用により輸入価格の低廉化をもたらし、Economic Efficiency（経済効率性の向上）にも資する。このようなメカニズムが典型的な形で作用した事例として、２０１０年代における「シェールＬＰガス」の輸入をあげることができる。

東京電力・福島第一原子力発電所事故が起きたのは２０１１（平成23）年3月であるが、その直後の２０１１年度、日本は、８６４万トンのＬＰガスを輸入した。そのうちの88％が中東地域からの輸入であり（カタール４１６万トン、サウジアラビア１８５万トン、クウェート１５９万トン）、アメリカ（13万トン）のウエートは2％に過ぎなかった（残りの11％はオーストラリア）。ところが、７年後の18年度になると、状況は一変していた。日本のＬＰガス輸入量は９４２万トンに増加したが、中東地域のウエートは16％（カタール52万トン、サウジアラビア66万トン、クウェート36万トン）にまで縮小し、アメリカからの輸入（７４１万トン）が79％を占めるにいたった（残りの5％はオーストラリア）。[注18] この激変が**エッセイ❽**や**エッセイ⓫**で指摘した「シェールＬＰガス革命」の所産であったことは、言うまでもない。

この変化に対して、中東という特定の地域からアメリカという特定の国へのスイッチであり、意味がないのではないかという批判を加える向きがあるかもしれない。しかし、このような批判は、二つの理由で、皮相なものだと言わざるをえない。

第1に、アメリカの地政学的リスクは、中東地域のそれに比べて、はるかに小さい。その意味で、このスイッチは、まずEnergy Securityの面でメリットがある。

第2に、中東地域への輸入依存度が高かった時代には、**エッセイ❽**や**エッセイ⓫**でも言及したように、サウジアラムコが一方的に決めるCP（契約価格）にもとづき割高な輸入価格を受け入れざるをえなかったが、アメリカ発のシェールLPガスが国際市場に登場してからは、競争原理が働いて、輸入価格が低下するようになった。したがって、このスイッチは、Economic Efficiencyの面でもメリットをもつ。

このように、2010年代におけるアメリカからのシェールLPガス輸入の急拡大は、日本経済に大きな肯定的影響を及ぼした。シェールLPガス革命がゲームチェンジャーの役割をはたしたと言っても、けっして過言ではないのである。

［石油・天然ガスについてのシェール革命の好影響］

アメリカにおけるシェール天然ガス（主成分はメタン）やシェールオイルの生産量は、シェールLPガスの生産量よりもはるかに多い。したがって、LPガスについてだけでなく、石油や天然ガスについても、アメリカからの輸入の拡大が日本経済に好影響をもたらす可能性は高い。

まず石油については、原油のほぼ100%を輸入に頼る日本の中東依存度（輸入量全体に占める

（注18）以上の点については、資源エネルギー庁資源・燃料部「新・国際資源戦略の策定に向けた論点」、2019年10月4日、21頁参照。

中東地域からの輸入量の比率）が18年でも88％に達したことが、問題になる。偶然ではあるが、この「中東依存度88％」という状況は、先述したように、11年度における日本のＬＰガス輸入をめぐっても生じていた。しかし、シェール革命の恩恵を享受したＬＰガス輸入の場合には、7年後には中東依存度が16％にまで低下した。**エッセイ㉖**で触れたように、シェール革命が深化してシェールオイルの増産・輸出が進めば、石油に関しても、ＬＰガスの場合と同方向の変化が生じると見通すことができる。変化の度合いはＬＰガス輸入の場合ほどではないだろうが、原油輸入における中東依存度が低下することは間違いなかろう。原油輸入における中東依存度の低下が日本の Energy Security の向上に貢献することは、ここで改めて強調するまでもない。

次に天然ガスについては、Economic Efficiency の面でのメリットに注目する必要がある。島国である日本は、今のところ、天然ガスをパイプラインで輸入することはできない。ＬＮＧ（液化天然ガス）という形で輸入せざるをえないが、18年のＬＮＧ輸入における中東依存度は22％にとどまり、高くはなかった。原油やＬＰガスの場合と異なり、輸入先の多様化に成功しているからである。つまり、**エッセイ⑱**や**エッセイ㉗**で見たようにアメリカからのシェール天然ガスの輸出が増加し、その恩恵を日本が享受したとしても、Energy Security 面で生じるメリットは、原油やＬＰガスの場合ほどには大きくない。主要なメリットは、別の側面、すなわち Economic Efficiency の面で生じる。

第1に、日本国内での主要な天然ガスユーザーである電力会社や都市ガス会社が、安定供給確保を第一義的に追求する立場から基本的には長期契約方式でＬＮＧ輸入を行っているため、日本のＬＮ

G輸入価格が、国際的な市場価格より相当割高になっているという問題がある。(注21)これに対して、アメリカ発のシェールLNGは、国際市場価格+運賃で輸入される。運賃を含めても、長期契約分のLNGよりシェールLNGの方が、日本での輸入価格は割安となる。(注22)シェール天然ガスのEconomic Efficiencyの面でのメリットは、この点に求めることができる。つまり、現状では、日本のLNG輸入において、長期契約分を減らせば減らすほど、シェールLNGのウエートを増やせば増やすほど、コストが下がるメカニズムが作用しているのである。

第2に、アメリカ発のシェールLNGには、いわゆる「仕向地条項」による制約がない。仕向地条項とは、荷揚げ場所（仕向地）を固定し、第三者への転売を禁じる条項のことであり、LNGの長期取引契約に盛り込まれることが多い。この仕向地条項は、輸入したLNGの経済的な運用を、著しく制約する。通常の長期契約分のLNGとは異なり、シェールLNGが仕向地条項と無縁であることは、シェールLNGが有するもう一つのEconomic Efficiencyの面でのメリットだと言える。

ここまで述べてきたように、アメリカで進むシェール革命は、資源小国・日本にとって、Energy Security面でもEconomic Efficiency面でも、大きなメリットをもたらす。たしかに、2020（令

（注19）資源エネルギー庁「新・国際資源戦略の方向性」、2019年11月、5頁参照。
（注20）同前5頁参照。
（注21）この点について詳しくは、例えば、橘川武郎「なぜ日本の天然ガスの価格はアメリカの九倍も高いのか」『プレジデント』、2012年7月16日号、プレジデント社、155―157頁、参照。
（注22）ここでは、長期契約によって輸入されるLNGの価格にも、運賃分が加算されていることを忘れてはならない。

和2）年に発生したCOVID―19（新型コロナウイルス感染症）のパンデミック（世界的大流行）の影響によって、シェール革命の今後の展開に不透明感が広がったことは、紛れもない事実である。しかし、大局的に見れば、多少の廻り道はあるにしても、アメリカの国益にかなう以上、シェール革命は、今後も進展していくことだろう。そしてそれは、日本のエネルギー改革にとっても、歓迎すべき事象なのである。

第5章　極東・アジアのガス事情

【事実経過】

アメリカでのシェール革命の進行に示されるように、東京電力・福島第一原子力発電所事故後10年近くのあいだに、エネルギーをめぐる国際環境は大きく変化した。日本は、極東に位置するアジアの一国であるから、この章では、極東の資源大国・ロシアとアジア諸国について、エネルギーをめぐる最近の動向を見ることにしよう。

経済産業省は、２０２０（令和２）年３月、「新国際資源戦略」を策定し、公表した。同戦略を準備する審議会で配布された資料のなかで、経済産業省の資源エネルギー庁は、ロシアについて、次のような点を指摘している。

◉「ロシアは、石油・天然ガスの埋蔵量は大きく、日本への地理的な近接性からも引き続き重要な供給源」。

◉「北極圏からの新たなLNG生産が開始され、LNG供給源・供給ルートの更なる多様化に貢献[注23]」。

これらのうち後者の点に関しては、さらに「ロシアからの新たなLNG供給ルートの確保」として別建てで取り上げ、以下の2点を付記している。

◉「北極圏におけるLNG開発の本格化は、新たな供給ルートの構築につながり、日本のエネルギーセキュリティ強化にとって極めて有望」。

◉「北極海航路の輸送日数は、中東や北米と比べても競争力あり。日本企業もJOGMEC[注24]支援の下で参画し、2023年に生産開始予定[注25]」。

また、同じ資料は、アジア諸国について、次のように述べている。

◉「産油・産ガス地域ではあるが、経済発展に伴う需要の急増により、今後、更なる資源供給国から需要国への転換が見込まれる[注26]」。

この点に関しては、さらに、LNGとLPガス（LPG）とに分けて、「柔軟な国際LNG市場の形成と拡大するアジア需要の取り込み[注27]」、および「アジアLPG市場の拡大と対応」という項目を設けて、そのための施策を掘り下げている。

以上の検討から、日本政府が、2010年代の動向をふまえて、ロシアについてはエネルギー供給国としての役割の拡大、アジア諸国に対してはエネルギー需要国としてのプレゼンスの高まりに、それぞれ関心をもっていることがわかる。その際、LNGとLPガスというガス体エネルギーに注目していることも、興味深い。

【3編のエッセイ】

筆者は、極東・アジアのガス事情に関して、３編のエッセイを「インパクト」を通じて発信してきた。最初に取り上げる**エッセイ❻**は、２０１４（平成26）年1月に発信したものであり、ロシアに関するものである。

《エッセイ❻》 極東ロシアのエネルギー事情

2014年1月13日発信

（注23） 以上の点については、前掲「新・国際資源戦略の策定に向けた論点」34頁参照。
（注24） ＪＯＧＭＥＣとは、Japan Oil, Gas and Metals National Corporation の略称で、独立行政法人石油天然ガス・金属鉱物資源機構のことをさす。
（注25） 以上の点については、前掲「新・国際資源戦略の方向性」10頁参照。
（注26） 前掲「新・国際資源戦略の策定に向けた論点」38頁。
（注27） 前掲「新・国際資源戦略の方向性」11—13頁参照。

２０１３年の8月末から9月初めにかけて、株式会社エネルギーフォーラムが主催した「ロシア極東エネルギー事情視察」の視察団長として、サハリンと沿海地方（ウラジオストク、ナホトカなど）を訪れる機会があった。隣接する極東ロシアと日本とのあいだには、エネルギーをめぐって緊密なつながりが存在する。

天然ガスについてサハリンでは、いわゆる「サハリンⅡプロジェクト」に携わるサハリンエナジー社を訪れ、同社のＬＮＧ輸出基地を見学した。サハリンⅡでは、サハリン島北部沖合のピルトン・アストフスコエとルンスコエの両油・ガス田で産出した原油・天然ガスを、総延長約８００キロメートルに及ぶ島内の内陸パイプライン（トランス・サハリン・パイプライン）で南部のプリゴロドノエ基地へ運び、そこで天然ガスについては液化して、原油タンカーとＬＮＧ船で海外へ輸出している。冬も凍ることのないプリゴロドノエに建設されたサハリンⅡのＬＮＧ輸出基地では、各々年間４８０万トンの設備能力をもつ天然ガス液化装置2基が、順調な操業を続けていた。液化装置を間近で見ることができたこと、たまたまバースで大型ＬＮＧ船が積載作業中であったこと、敷地内を流れる小川でサケが飛び跳ねる瞬間を目撃できたことなど、有意義な見学となった。零下約１６０℃への冷却を必要とする液化工程に関して、外気温との温度差が縮小する冬場には経済性が向上するという現場での説明も、新鮮であった。

ウラジオストクでは、日本で大きな話題となっているＬＮＧ輸出基地新設計画について、沿海地方議会のゴルチャコフ議長とガスプロムのシモネノク・ウラジオストク支社長から詳しい話を聞いた。この計画は、ガスプロムが開発中のサハリンⅢプロジェクトのキリンスキー鉱区等からパイプライン経由で天然ガスをロシア本土に運び、ウラジオストク近郊に新設するＬＮＧ輸出基地から輸出しようとするものである。ゴルチャコフ・シモネノク両氏とも、環境問題など一部に不確実な要因は残存しているものの、計画自体は近い将来実現するだろうという、強気の見通しを語った。

今回の視察では、天然ガスについてだけでなく石油や石炭についても、新たな知見を得ることができた。

サハリンⅡのプリゴロドノエ基地では、小川をはさむ形で、ＬＮＧ輸出設備と並行して原油輸出設備が稼働していた。アメリカでのシェールガス革命の影響で国際価格に下げ圧力がかかっている天然ガスとは対照的に、エジプト・シリア情勢の緊迫化もあって原油価格は高水準を維持しており、天然ガスだけでなく原油も輸出していることは、サハリンⅡプロジェクト全体の業績向上に寄与している。この点は、今回の視察対象にならなかったサハリンⅠプロジェクトの場合にはいっそう顕著であり、サハリンⅠでは、産出した天然ガスの多くを埋め戻し、主として原油輸出で収益をあげているという。今回の視察では、竣工したばかりの東シベリア・太平洋石油パイプラインを使ってＥＳＰＯ（East Siberia Pacific Ocean）原油を輸出する、トランスネフチ社のナホトカ近郊コズミノの積出基地も訪れた。このパイプラインの完成でフル稼働がわずか３年間にとどまることになった鉄道からパイプラインへの原油移転設備（ナホトカ付近）も見学したが、稼働規模縮小がもったいないと感じさせるほど、立派な設備であった。

石炭については、ナホトカ港およびその近くのボストチヌイ港において、輸出炭積出ターミナルが急速に増強されている様子を目の当たりにすることができた。石炭専用ターミナルだけでなく、缶詰工場やコンテナ基地まで石炭輸出を「兼営」していくダイナミズムに圧倒される一方で、正直なところ、輸出炭の品質管理に一抹の不安を覚えたことも事実である。なお、サハリン州政府ホトチキン副首相や沿海地方議会のゴルチャコフ議長が、石炭輸出の将来性・重要性をことのほか強調した点も、印象的であった。

地理的に隣接する極東ロシアと日本とのあいだには、多様なエネルギー面でのつながりが存在する。そのつながりは単純な資源の輸出入を超えて、最近では、ロシアの地域熱電併給システム構築への日本企業の参画という、新しい形態でも進みつつある。最終日に見学したウラジオストク市街地対岸のルースキー島でのコジェネプロジェクトへの川崎重工業と双日の参加は、その代表例だと言える。

今回の視察では、日ロ間の資源輸出入そのものについても、新しい動きを感じとることができた。それはロシア側が、天然ガスについても石油についても石炭についても、日本側に必死の売り込み攻勢をかけていることだ。状況は、売り手市場から買い手市場に転換しつつある。日本としては、このチャンスを活かし、あせらずじっくり交渉を重ね、バイイングパワーを発揮すべきであろう。

次は、バングラデシュに関する**エッセイ⑳**である。世界を代表する天然ガス依存国であるバングラデシュは、国産天然ガスの枯渇という国難に直面しつつある。その国難を克服するうえで日本企業が協力しうることは何か、それを論じたエッセイとなっている。

《エッセイ⑳》 バングラデシュの国難：緊迫するガス事情

2018年4月16日発信

発電量の約60％が天然ガス発電、一次エネルギー供給の約70％が天然ガス。北海道と九州を合わせたくらいの広さの国土に1億6000万人の人口がひしめくバングラデシュは、あまり知られていないが、世界を代表する「天然ガス依存国」である。それを支えてきた国産天然ガスが、早ければ15年後には枯渇するという。バングラデシュは今、大きな国難、エネルギー危機を迎えつつある。

その国難ぶりは、1970年代に2度の石油ショックに遭遇した時の日本の状況に、相通じるものがある。第一次石油ショックが発生した1973年当時、わが国の発電量の73％が石油火力発電、一次エネルギー供給の78％が石油で占められていた。そこに、第一次石油ショックで4

倍、第二次石油ショックでさらに4倍、通算して16倍も原油価格が上昇したのだからたまらない。日本は、エネルギー危機という国難に直面することになったのである。

この国難に対してわが国は、省エネルギーの推進や代替エネルギーへの転換などの手段で立ち向かった。日本の産業界は１９７０年代後半から80年代前半にかけて世界史に残る規模の省エネを実現したし、電力業界は原子力発電・ＬＮＧ（液化天然ガス）火力発電・海外炭火力発電を三位一体的に推進して電源の「脱石油化」を急速に達成した。その結果、東京電力・福島第一原子力発電所事故が起こる前年の２０１０年には、日本の発電量に占める石油火力のウエートは８％、一次エネルギー供給に占める石油の比率は40％にまで低下した。

問題は、国産天然ガスの枯渇というエネルギー危機に直面したバングラデシュが、日本と同様に国難を克服できるかどうかである。省エネ、代替エネルギー導入の順に、その可能性について考察してみよう。

省エネに関しては、日本の東洋計器が取り組むプリペイド・ガスメーターの普及が、注目される。バングラデシュでは、天然ガスが需要家向けに定額料金で販売されているため、複数の需要家がガス配管を「枝分け」し、１需要家のように装う不法行為が横行していると聞く。また、そもそも、定額料金である以上、需要家に天然ガス消費を抑制しようというインセンティブも働かない。このような状況下で需要家ごとにプリペイド・ガスメーターを設置すれば、不法行為を防止することも、将来において定量料金制を導入することも可能になる。それが、ガス消費の抑制につながるのは言うまでもない。

しかし、バングラデシュの場合、全体として見れば、省エネによってエネルギー危機を突破することは、きわめて困難である。というのは同国では、高率の経済成長が続くとともに、モータリゼーションが猛烈な勢いで進んでおり、さながら日本の高度成長期にも似た経済状況が現出しているからである。このような状況下では、省エネの推進という選択肢は、危機克服策としてはあまり機能しないだろう。

そうであるとすれば、国難克服のための残された選択肢は、代替エネルギーの導入ということになる。もちろん、産業・運輸・民生の全分野にわたって天然ガス関連インフラが充実しているバングラデシュの現状を考慮に入れれば、新たな天然ガス田の探鉱・開発、ＬＮＧの輸入などの選択肢がまずは重要になる。しかし、これらの打開策には量的な面での限界があり、国産天然ガス供給の減少分をカバーすることはできない。そこで、どうしても代替エネルギーの導入が求められるのである。

バングラデシュでは、南部のマタバリで、日本企業（住友商事・東芝・ＩＨＩ）が参画する超々臨界圧石炭火力発電所建設のプロジェクトが動いている。中部のルプールでは、ロシア企業が原子力発電所を建設中である。代替エネルギーの導入が積極的に模索されているわけであるが、そのなかでユニークな取組みとして注目されるのは、既存の天然ガス関連インフラをある程度転用できるＬＰ（液化石油）ガスの導入である。現実に、14年に7・5万トンだったバングラデシュのＬＰガス輸入量は、15年には13～15万トン、16年には30万トン、17年には50万トンと急伸しつつある。

もちろん、天然ガス関連インフラのＬＰガス用の改造にはコストがかかるし、何よりもバングラデシュにおけるＬＰガス価格は天然ガス価格と比べて、はるかに高い（輸入ＬＮＧのウエート拡大により、天然ガス価格も今後、相当程度上昇することが見込まれるが、それでもＬＰガス価格に比べれば安い状況に変わりはない）。これらのボトルネックが存在するのもかかわらず、ＬＰガスの市場規模が急拡大し始めたのは、バングラデシュ政府が天然ガス使用を制限する措置を徐々に拡大しており、「ガス欠」を回避するためにはＬＰガスを使用せざるをえない「背に腹はかえられぬ」状況が広がりつつあるからである。

筆者（橘川）は、17年12月にＬＰガス海外市場調査のためバングラデシュを訪れたが、そこで見聞したのは、同国のＬＰガスのサプライヤー（元売会社）であるOmera Petroleum社やLaugfs Gas Bangladesh社が、近未来における市場の拡大を見込んで、積極果敢にＬＰガス関連施設の設備投資を進めつつある姿である。このうちOmera Petroleum社は、日本のＬＰガス大手のサイサンと折半出資で、16年11月にOmera Gas One社を設立し、バングラデシュ国内でのＬＰガス需要の開拓に力を入れている（"Gas One"は、サイサンがガス事業において使用するブランドである）。その際、Omera Gas One社はバルグ供給を中心にして産業用・業務用需要を担当し、Omera Petroleum社はシリンダー供給を中心にして主として民生用需要を受け持つという、業務分担がなされている。バングラデシュでLPガス事業に取り組む際、日本企業と提携していることは、マーケティング上有益な効果を発揮すると聞いた。

同時に見学させていただいたダッカ市内のOmera Petroleum社の特約店（専属のディストリビューター＝卸売業者）のショールームは、活況を呈していた。同じくダッカ市内にあるバングラデシュで最大のタクシー会社、Toma社のToma社の車庫兼工場では、ガソリン車からLPガス車への改造が、次々と行われていた。Toma社は、今後、他社所有のものも含めてタクシーにLPガスを供給する、オートガス・ステーション事業を拡張する予定だという。

バングラデシュは、天然ガスの枯渇という国難を克服することができるのか。特にLPガスへの転換に注目して、今後の推移を見守りたい。


日本は、1969（昭和44）年にLNGを初めて大規模に輸入し、「LNGの時代」の幕開け役を担うという世界史に残る偉業を達成した。**エッセイ㉚**は、それから50年経ったことを受けて、発表したものである。半世紀のあいだに日本に蓄積されたさまざまな知見は、本格的なLNGの時代を迎えつつある今日のアジア諸国にとって、有用性が高いと論じている。

《エッセイ㉚》　ＬＮＧ導入50年と日本の経験の東南アジア諸国への伝播

２０１９年12月16日発信

２０１９年11月６日、横浜のニューグランドホテルで、「ＬＮＧ（液化天然ガス）導入50周年記念式典」が盛大に開催された。日本のＬＮＧ輸入の第１船である「ポーラ・アラスカ号」が、アラスカ・ケナイ基地から３万トンのＬＮＧを満載して、東京ガスの根岸工場（神奈川県横浜市）に着桟したのは、50年前の１９６９年11月４日のことである。これは、わが国におけるＬＮＧ時代の幕開けとともに、世界的に見ても本格的なＬＮＧ活用の開始を告げる、まさに「歴史的な出来事」であった。

「ポーラ・アラスカ号」よりも早く、59年に世界最初のＬＮＧタンカー実験船「メタン・パイオニア号」が、アメリカ・ルイジアナ州レーク・チャールズからイギリス・キャンベイ島まで２２００トンのＬＮＧを海上輸送した。これによってＬＮＧの時代はスタートを切ったが、それはまだ実験の域を出ず、本格的な「幕開け」までにはさらに10年の時間を要した。

本格的なＬＮＧ時代の幕開けを告げたのは、69年の「ポーラ・アラスカ号」による日本へのＬＮＧ導入であった。それが新時代を告げる画期的なものであったことは、「ポーラ・アラスカ号」のＬＮＧの積載規模が「メタン・パイオニア号」のそれの10倍超に達した、東京ガスによるＬＮＧ導入は空前の規模の熱量変更をともなう需要側の受入れ体制の構築と結びつくものだった、東京ガスによるＬＮＧ導入は東京電力との連携のもとで推進され世界最初のＬＮＧ専焼火力発電所（現在のＪＥＲＡ南横浜火力発電所）の建設につながった、などの諸点から明らかであろう。

早くから準備を進め、「ポーラ・アラスカ号」によるＬＮＧ導入を主導した東京ガスが、東京電力との連携を選択したのは、①調達量を拡大することにより交渉力を強め、ＬＮＧの買取価格を引き下げる、②ＬＮＧの受入設備を共同使用することによって、諸コストの低減を図る、という考えにもとづくものであった。東京電力にとっても、大都市・横浜に火力発電所を建設するためには公害対策を徹底する必要があり、ＳＯＸ（硫黄酸化物）をまったく含まずＮＯＸ（硫黄酸化物）の含有率も低いＬＮＧを火力発電用燃料として導入することには、メリットがあった。

50周年記念式典では、「ポーラ・アラスカ号」によるＬＮＧ導入の当事者となった東京ガス・ＪＥＲＡ（東京電力から南横浜火力発電所を継承した）・三菱商事・コノコフィリップスの代表が、次々とあいさつに立った。日本政府・神奈川県・横浜市・アメリカ政府・アラスカ州から、祝辞も寄せられた。式典は緊密な日米関係の原点となった故事に由来する「ペリー来航の間」で行われたが、それにふさわしい盛り上がりを見せた。

これまでの50年間がそうであったようにこれからの50年間も、ＬＮＧは、わが国の基幹エネルギーとして、重要な役割をはたし続けるだろう。それにとどまらずＬＮＧの役割は、海外、とくに東南アジア地域において高まるであろう。天然ガスの活用に対して「第1のガス革命」という言葉が使われたが、今ではＬＮＧの国際的普及を意味する「第2のガス革命」という呼び方が広がりつつある。

東南アジア諸国でのＬＮＧ利用は、当初は小さな規模にとどまるかもしれない。その場合には、初めからＬＮＧの導入規模が大きかった日本の電力会社や3大都市ガス会社（東京ガス・大阪ガス・東邦ガス）の経験よりは、小さな導入規模でスタートした中堅ガス会社（西部ガス・広島ガス・日本ガス・仙台市営ガス・静岡ガス・北海道ガス）の経験の方が役に立つであろう。

電力会社や大手都市ガス会社に比べて事業規模が小さい中堅の各都市ガス会社にとって、ＬＮＧの導入は、事業者としての存続そのものを賭けた大きな決断であった。この決断を、各事業者は工夫をこらすことによって、成就させていった。西部ガスが開拓し、広島ガス・日本ガス・仙台市ガス局が踏襲した「ミニオーシャンタンカーによるＬＮＧの直接購入」という新機軸は、事業を成功させるうえで大きな役割をはたした。これとは異なる方式をとった静岡ガスの大型ＬＮＧ船による部分積み・2港揚げも、有効性を発揮した。また、北海道ガスは、国産天然ガスの利用からＬＮＧの導入へというユニークな道を歩んだ。日本の中堅都市ガス会社がＬＮＧを導入する際に得た知見は、東南アジア地域を舞台に本格化する「第2のガス革命」において、有用性を大いに発揮することだろう。

【10年後の状況と今後の展望】

〔LNGビジネスのアジア展開〕

これまでの50年間がそうであったようにこれからの50年間も、LNGは、わが国の基幹エネルギーとして、重要な役割をはたし続けるだろう。それにとどまらずLNGの役割は、海外、とくにアジア地域において高まるであろう。**エッセイ㉚**で述べたとおり、「天然ガスの活用に対して『第1のガス革命』という言葉が使われたが、今ではLNGの国際的普及を意味する『第2のガス革命』という呼び方が広がりつつある」のだ。

アジア地域を主要な舞台に本格化する「第2のガス革命」のプロセスで、LNG先進国である日本がはたす役割は大きい。先述の資源エネルギー庁の資料は、「柔軟な国際LNG市場の形成と拡大するアジア需要の取り込み」のために、

＊「世界のLNG需要は、2040年までに倍増。LNG市場への日本の影響力を維持し、安定調達を確保するため、拡大するアジア需要を積極的に取り込み、厚みのある国際市場の形成を主導することが重要」、

＊「2013年から2020年の7年間で、新たに17カ国がLNG輸入を開始。ファイナンス供与の強化に加え、新規輸入国においてLNG事業を担う人材の育成が重要」、

であると述べている。(注28)

日本企業がアジア地域でＬＮＧビジネスを展開する際に、ロシア産天然ガスの取扱いはビジネスチャンスを拡大する意味合いをもつ。**エッセイ❻**を発信した時点では、アジア地域向けのロシア産天然ガスの生産地としては主としてサハリンが想定されていたが、最近ではそれに北極圏が加わろうとしている。それらをＬＮＧにしてアジア地域に運ぶ際、日本に多数存在するＬＮＧ基地は、その中継地としての機能を担いうる。２０１９（令和元）年９月に西部ガスとロシア・ノバテク社とのあいだに結ばれた、ひびきＬＮＧ基地（福岡県北九州市）を活用した「アジア向けＬＮＧ・天然ガスの販売を目的とした合弁会社設立に向けて協議を開始する旨の基本合意書」(注30)は、そのような動きの先駆けと見なすことができる。(注29)

【ＬＰガスビジネスのアジア展開】

日本企業がアジア地域のガスビジネスで活躍しうる分野は、ＬＮＧビジネスに限定されるわけではない。ＬＰガスビジネスについても、活躍の可能性は大きい。先述の資源エネルギー庁「新・国家資源戦略の方向性」は、「アジアＬＰＧ市場の拡大と対応」のために、

＊「日本企業が扱うＬＰＧ海上輸送量は世界全体の約25％を占め世界最大」、

＊「近年、成長著しいアジア地域の需要を積極的に取り込むには、専門家派遣や招聘研修等の国際協力を実施し、我が国の安全性・利便性を備えた関連機器や保安・供給システムの国際展開を推進することが不可欠ではないか」、

と述べている（13頁参照）。

現実に、アジア地域への進出という点では、都市ガス会社よりLPガス会社の方が先行していると見なすことができる。次章（第6章）の**エッセイ⑮**で紹介する大手LPガス会社のサイサンは、そのパイオニアとでも言うべき存在である。

筆者は、16年から18年にかけて、ベトナム、ミャンマー、バングラデシュ、フィリピンでLPガスの普及状況を調査する機会があった。**エッセイ⑳**で言及したバングラデシュでのLPガス海外市場調査も、その一環であった。どこの国に行っても印象的だったのは、LPガス市場が急速に拡大していること、その市場拡大に日本企業が大きく貢献していることである。

新興のアジア諸国でのLPガス需要の急進には必然性がある。経済発展とともに新興国では熱需要が増大するが、それに応えるうえで中心的な役割をはたすのは、熱量の高いガスである。そして、ガスが普及していくプロセスで主役となるのは、都市ガスではなく、LPガスである。というのは、新興国の場合、人口集中がすでに進んだ大都市に都市ガスの導管を「あとづけ」で敷設するのは困難で

（注28）前掲「新・国家資源戦略の方向性」11―12頁参照。

（注29）ノバテク社はロシア最大の独立系ガス生産企業であり、同社の天然ガス生産量は国営のガスプロム社に次いでロシア国内第2位である（２０１９年９月時点）。ノバテク社は、北極圏でのＬＮＧ生産事業に積極的に取り組んでいるが、この事業には、日本のＪＯＧＭＥＣと三井物産も出資企業として参加することになっている。

（注30）西部ガス・プレスリリース「ノバテク社（ロシア）との合弁会社設立に向けて協議を開始するための基本合意書の締結について」、２０１９年９月５日、参照。

あり、大都市でもガス普及のおもな担い手はＬＰガスになるからだ。新興国において電話が普及する際、架線工事を必要とする有線電話ではなく、工事が不要な携帯電話が主要な役割をはたしたプロセスが、ガス普及についても繰り返されていると言える。

例えば、インドネシアでは、近年、日本の倍以上の５０００万世帯にＬＰガスが急速に普及した。世界的な大都市である首都・ジャカルタで普及した家庭用ガスの担い手も、ＬＰガスであった。そして特記すべきは、日本メーカー（リンナイ）が製造したガス器具が、インドネシアでのＬＰガス普及に大きく貢献した事実である。

第6章　石油産業の成長戦略

【事実経過】

本書ではここまで、主要なエネルギーのうち、電力とガスを中心に検証を進めてきた。本章では、もう一つの重要なエネルギーである石油に目を向ける。

２０１２（平成24）年に再発足した安倍晋三内閣が掲げた目玉政策である「アベノミクス」を構成した「３本の矢」のうち、金融緩和と財政出動はそれなりの成果をあげたが、肝心の成長戦略はなかなか思うような成果をあげなかった。業を煮やした安倍内閣は産業競争力強化法を制定し、同法は14年1月に施行された。主管官庁の経済産業省のホームページでは、産業競争力強化法に関して、「本法律は、アベノミクスの第三の矢である『日本再興戦略』（２０１３年６月14日閣議決定）に盛り込まれた施策を確実に実行し、日本経済を再生し、産業競争力を強化することを目的としています[注31]」、と説明している。

この産業競争力強化法の50条は、供給過剰に陥っている業界について、政府がその商品やサービスの市場動向を調査し、事業統合やM&A（合併・買収）が必要であるとの認識を示すことにより、業界再編を促すねらいをもった条項である。その産業競争力強化法50条適用の第1号となったのは石油精製業であり、第2号となったのは石油化学産業であった。日本のコンビナートの骨格を形成する石油精製業と石油化学産業はいずれも、あたかも構造不況業種であるかのような扱いを受け、政府によって業界再編が急がれる業種として指定されたのである。

振り返れば、日本の石油元売業界では、規制緩和の時代を迎えた1980年代半ばに、経営統合による業界再編が始まった。1985（昭和60）年の昭和石油とシェル石油との合併による昭和シェル石油の発足、86年の大協石油・丸善石油・旧コスモ石油（精製コスモ）の合併による新生コスモ石油の発足、92年の日本鉱業と共同石油との合併による日鉱共石（93年にジャパンエナジーへ社名変更）の発足などが、それである。その後、96年の特石法（特定石油製品輸入暫定措置法）の廃止による石油製品輸入の自由化を受けて、石油業界における競争はいっそう激化し、やがて石油元売会社のさらなる大規模再編へとつながった。99年の日本石油と三菱石油との合併による日石三菱（2002年に新日本石油へ社名変更）の発足、2000年の東燃とゼネラル石油との合併による東燃ゼネラル石油の発足、10年の新日本石油と新日鉱ホールディングスとの合併によるJXホールディングスの発足が、相次いだのである。一連の合併の結果、日本の石油元売会社はいったん、①JX日鉱日石エネルギー（JXホールディングスの子会社、16年にJXエネルギーへ社名変更）、②東燃ゼネラル石油、

③出光興産、④昭和シェル石油、および⑤コスモ石油の、5大グループとその他の企業とに区分されることになった。2010年代後半の①と②との経営統合（17年のJXTGエネルギーの発足、20年にENEOSへ社名変更）および③と④との経営統合（19年の出光昭和シェルの発足）は、わが国における石油元売業界の再編が最終局面を迎えたことを意味した。

産業競争力強化法50条適用の第1号となった石油精製業には、確かに「構造不況業種」と見なされてもしかたがない側面がある。石油製品の国内需要が、減少し続けているからである。

この点について、15年7月に策定された総合資源エネルギー調査会資源燃料・分科会の「報告書」は、石油「製品の国内需要は、若者の車離れ、燃費の向上、高効率機器の普及、産業分野での燃料転換等により、減少傾向が続いており、その結果、原油の輸入量も1994年には日量約460万バレルであったものが、2014年日量約345万バレル程度にまで減少している。（中略）これにあわせて、国内精製能力やSS数[注32]も減少傾向が続いている」（10頁）、と述べている。また、17年6月にまとめられた「総合資源エネルギー調査会資源燃料・分科会報告書」も、「国内の石油製品の需要の減少傾向は今後も継続していく見通しである」（22頁）、としている。

石油製品の内需減少を受けて、サービスステーション（SS）の数も減っている。この点について、2015年策定の総合資源エネルギー調査会資源燃料・分科会の「報告書」は、「全国のSS数

（注31）「産業競争力強化法」経済産業省ホームページ。www.meti.go.jp/policy/jigyou_saisei/kyousouryoku_kyouka/。
（注32）サービスステーション。

は、平成６年度（１９９４年度）をピーク（６０４２１ヶ所）にその後減少傾向で推移している（平成26年度「２０１４年度」末で３３５１０ヶ所）」（54頁）、と述べている。このＳＳ数の減少は、現在も進行している。

第二次世界大戦後の日本では、石油精製業が消費地精製主義にもとづいて経営されてきた。この考え方によれば、製油所は、あくまで内需向けに石油製品を生産する。したがって、日本国内の石油製品需要が減退すれば、製油所の生産量も減少することになる。石油精製業のような装置産業では、生産量が減少し設備稼働率が低下すると、経営上、きわめて大きな打撃を被る。打撃を回避するためには、余剰生産設備を廃棄するしか方法がない。このような事情で、２０１０年代の日本では、製油所の縮小が相次いだのである。

ここまで述べてきた諸現象を念頭に置くと、日本の石油精製業は、あたかも「構造不況業種」であるかのように見える。しかし、このような認識は、本当に正しいのだろうか。答えは、断じて「否」である。冷静に状況を分析すれば、日本の石油精製業には、国内で二つ、海外で二つ、合計四つの成長戦略が存在する。この点については、石油産業および石油関連産業の成長戦略に関する４編のエッセイを紹介したのちに、詳しく立ち返ることにしよう。

【4編のエッセイ】

本章では、石油産業ないし石油関連産業の成長戦略にかかわる4編のエッセイを取り上げる。2017（平成19）年5月に発信した**エッセイ⑮**は、いずれも内需の減少に直面しているわが国の石油企業（出光興産）とLPガス企業（サイサン）が、新たな成長戦略として取り組み始めたベトナムでの事業について論じている。なお、日本におけるLPガスの総需要は、1996年度に年間1970万トンのピークに達したあと、減少傾向をたどっている。LPガス産業もまた、石油産業と同様に、成長戦略の一環として海外進出に取り組まざるをえない状況に置かれているわけである。

《エッセイ⑮》日本のエネルギー産業の成長戦略：新地平拓くベトナムでの二つのプロジェクト

2017年5月29日発信

2017年の3月と4月にベトナムを訪れ、日本のエネルギー産業の成長戦略を体現する二つの事業現場を見学させていただく機会を得た。3月は、日本の大手LPガス会社・サイサンが主宰するGas One（ガスワン）グループのホーチミンでのLPガス供給事業の現場であり、4月は、出光興産が三井化学などとともに北部ニソンで建設中の製油所・石油化学コンプレックスの現場である。

ガスワングループは、日本のLPガス事業のアジア展開に関して、パイオニアというべき存在である。かつて韓国でLPガス自動車事業を根づかせることに一役買ったし、現在では、ベトナム・モンゴル・中国・インドネシアで手広くLPガス供給事業を手がけている。

そのなかでガスワングループのプレゼンスが特に大きいのは、ベトナムだ。サイサンが12年10月に75％出資の最大株主となったSOPET Gas One社（設立は06年5月）は、ホーチミン近郊に本社・充填所を置き、約130社の工場および約70店のレストランと取引を行っている。年間のLPガス販売量は5万7000トンであり、2名のサイサン社員と76名の現地スタッフが働いている（訪問時の数値。以下同様）。

それだけでなくサイサンは、ホーチミン証券取引所に上場しているAnpha Petrol Group JSC社に48％出資を行い、ベトナムで2社目となるガスワングループ企業が誕生した。同社は、ハイフォン市・ロンアン省にターミナル、ハノイ市・ホーチミン市に充填所を擁し、88のリテールショップを展開して、LPガスを直接顧客に販売している。従業員数は788名にも及ぶ。

15年度におけるAnpha Petrol Group JSC社とSOPET Gas One社の合計LPガス取扱量は、13万7967トンに達した。ベトナム全体のLPガス需要量は167万1000トンだったから、Gas One グループ両社の合計シェアは8・3％となった。ガスワングループは、ベトナムで第3位を占める堂々たる大手LPガス供給事業者なのである。

ベトナムのLPガス業界では、安全確保、安定供給、適正取引を一括して「日本品質」と見なすとらえ方が広がりつつあるという。ホーチミン近郊のSOPET Gas One 社の基地・充填所では、LPガスを入れるシリンダーに、「Thuoug Hieu Nhat Ban」と刻印されているのを目撃した。「日本品質（商標）」を意味するベトナム語だそうだ。この言葉を記入して以来、シリンダーの売行きは向上したとのことである。日本人として、嬉しい話だ。

目をアジアに転じれば、今まさにLPガスは、人びとに「豊かで幸せな暮らし」をもたらしつつある。これから、その勢いはさらに強まるだろうし、その範囲もアジアを越えて世界に広がることであろう。LPガスが人びとを幸せにしつつあるアジア市場。日本のLPガス企業がそれをも視野におさめるならば、新たな成長の道を切り開くことが可能だろう。

一方、首都ハノイから南方に200キロメートル以上離れたタインホア省ニソン地区は、ついこの間まで静かなたたずまいの農漁村だったそうであるが、今では、日本の、いやアジアの石油・石化産業のあり方を変える一大製油所・石油化学コンプレックス建設の槌音が鳴り響き、活気に満ち溢れている。このニソン製油所は、モータリゼーションが進むベトナムにとってなくてはならない、期待の星だ。2005年に23万5000バレル／日だったベトナム国内の石油製品需要は、10年には33万6000バレル／日となり、15年には44万7000バレル／日まで増えた。20年には58万３０００バレル／日に急伸する見通しである。しかし、現在のところ、ベトナム国内には、日産14万７０００バレルのズンクアット製油所しか存在しない。ここに日産20万バレルのニソン製油所が加われば、同国の石油製品自給率は、一挙に向上する。

ニソンの建設現場に足を踏み入れると、その20万バレル／日の常圧蒸留装置（トッパー）があまり目立たない。重油直接脱硫装置（ＲＨＤＳ）、重質油分解装置（ＲＦＣＣ）、プロピレン製造装置、キシレン製造装置など、他の製造設備が、日本国内では想像することが困難なほど巨大だからである。なかでも、８万バレル／日のＲＦＣＣは圧巻だ。世界最大ではないが、ワールドクラスであることは、間違いない。

このニソン・プロジェクトを推進している事業主体は、ニソンリファイナリー・ペトロケミカルリミテッド（ＮＳＲＰ）。ＮＳＲＰの出資比率は、出光興産35・１％、クウェート国際石油35・１％、ペトロベトナム社25・１％、三井化学４・７％である。ニソンを舞台に進行しているのは、ベトナム北部に日本の出光興産と三井化学の技術によって製油所・石油化学工場を建設し、そこでクウェート産の重質原油を処理して得た製品を、ベトナム国内で販売しようという、壮大でグローバルなプロジェクトなのである。

ニソン・プロジェクトが実現すると、日本の石油業界は、第二次世界大戦後長く続いた、国内を対象にした消費地精製方式の枠組みから脱却することになる。しかし、それはけっして、消費地精製方式の終焉を意味しない。石油需要が伸び続ける国や地域で新たな形で展開する、消費地精製方式の進化形だと見なすべきである。この方式こそ、日本の石油産業の成長戦略の核心をなすものである。ニソン・プロジェクトは、ベトナムの石油産業を大きく変えるだけでなく、日本の石油産業のあり方を根底的に変貌させるインパクトをもつ。

消費地精製方式の進化形を完成させるため、出光興産はベトナムで、製油所の建設にとどまることなく、SS（サービスステーション）の事業にも乗り出そうとしている。17年4月、クウェート石油と折半出資で、ベトナムでの石油製品小売事業に携わるIDEMITSU Q8 PETROLEUM LLCを設立したのが、その表れである（Q8は、クウェート石油がヨーロッパを中心に展開するSSのブランドである）。同社のSS事業は、早ければ、ニソン製油所・石油化学コンプレックスの商業運転以前にも始まる。ベトナムの地で日本の石油産業は、大きな変貌をとげようとしている。

日本国内では、LPガスの民間需要も燃料油の需要も、長期にわたり減少傾向をたどっている。しかし、目をアジア市場に広げれば、LPガス産業も石油産業も新たな成長戦略を追求することができる。そのことを実感することができた、今春のベトナム行であった。

NSRPのニソン製油所は、18年11月に商業運転を開始した。その5カ月後の19年4月、出光興産は、昭和シェル石油と経営統合して出光昭和シェル（通称、正式名称は「出光興産」）が発足した。

エッセイ⑯は、最終局面を迎えた日本の石油元売業界の経営統合について、その本質は、「世界と戦う」態勢づくりにあると論じている。

《エッセイ⑯》石油業界の経営統合：「世界と戦う」ための出発点

２０１７年８月14日発信

日本の石油元売業界では経営統合が最終局面を迎えつつあるが、油田をあまり持たず、精製と販売に事業の重点をおく日本の元売各社が等しくベンチマークと見なす石油企業が、アメリカに存在する。バレロ・エナジー（Valero Energy）という会社である。バレロは、精製専業会社だ。上流部門（油田）を保有せず、中流（精製）・下流（販売）部門に特化している。メジャーが手放した製油所を買収するなどして、現在は、アメリカ、カナダ東部、イギリス、オランダ領アルバ（西インド諸島南部）に製油所をもつ。環大西洋での石油トレーディングに強みを発揮し、高い収益性を誇る。

日本の元売各社は、現在、国内での石油需要の減退に苦しんでいる。しかし、各社が国内だけでなく東南アジアなどに製油所をもち、環太平洋での石油トレーディングに成果をあげれば、バレロのような成長をとげることができる。それが、日本石油産業の成長戦略の要諦であることは、火を見るより明らかである。

現実に出光興産は、三井化学等と提携して、ベトナムに大規模なニソン製油所を建設中である。また、ＪＸＴＧも出光興産も、シンガポールにトレーディングの精鋭部隊を送り込んでいる。

この日本の石油元売会社がめざす成長戦略の成否のカギを握るのは、バレロの場合もそうであるように、本国製油所からの機動的な製品輸出の実現である。そのためには、現時点で十分とは言えない石油製品の輸出向け港湾設備を拡充することが、急務となる。

経済産業省は、２０１７年度から適用されるエネルギー供給構造高度化法にもとづく製油所を対象にした第三次告示において、「重質油分解装置の有効活用」に主眼を置く方針を打ち出した。重質油分解装置には、熱分解装置（コーカー）や流動接触分解装置（ＲＦＣＣやＦＣＣ）が含まれる。この重質油分解装置の有効活用に関して、日本の諸製油所のなかで先頭を走るのは、富士石油の袖ケ浦製油所（千葉県）である。

第三次告示によって富士石油・袖ケ浦製油所がフロントランナーに躍り出た最大の理由は、同製油所がユリカ熱分解装置（ユリカプロセス）を擁するからである。しかし、ここで忘れてはならないことは、第三次告示が重視する重質油分解装置の有効活用を実現するためには、ユリカプロセスのような重質油分解装置を有するだけでなく、そこで生産される製品の販路をきちんと確保する必要があるという点だ。じつは、富士石油・袖ケ浦製油所は、この販路確保という点で、国内の他の製油所にはないユニークな特徴をもっている。それは、輸出設備が充実しているという特徴だ。同製油所の輸出設備の中核をなすのは、12万トン栈橋である。ユリカプロセスと輸出設備の「2本柱」がそろうことによって、富士石油・袖ケ浦製油所は、日本の「ベスト製油所」の地位を獲得することになったと言える。

日本の元売各社がベンチマークとするバレロのような発展をとげるためには、①環太平洋地域にいくつかの製油所を展開する、②本国である日本において製油所の重質油分解装置と輸出装置を拡充する、③環太平洋地域でのトレーディング業務を強化する、などの施策が求められる。これらの施策が実行に移されれば、閉塞感が漂う日本石油産業においても、成長戦略は現実のものとなる。それは、「世界と戦う態勢を整える」ということであるが、そのための出発点となるのが、今回の元売各社の経営統合である。

日本の石油産業の成長戦略の基本は、「石油の特性を活かし付加価値を高める用途に使う」こと、つまり「石油のノーブルユース」を徹底することにある。石油のノーブルユースの最たるものは、化学工業用原料としての利用である。したがって、石油産業の成長戦略は、石油化学工業の成長戦略をも包含したものにならざるをえない。次の**エッセイ㉒**の背景にあるのは、このような考え方である。

《エッセイ㉒》台湾プラスチック麥寮コンプレックスの迫力と日本企業

2018年7月9日発信

2018年5月、世界トップクラスの規模と競争力を誇る石油・石化コンビナートである台湾プラスチックグループ・麥寮（マイリャオ）コンプレックスを見学する機会を得た。台湾第3の都市・台中から車で南西へ1時間20分ほどの距離に立地する同コンビナートは、とにかく巨大である。

南北方向に8キロメートル、東西方向に4キロメートルにわたる2603ヘクタールの敷地に18万バレル/日の常圧蒸留装置（トッパー）が3基（合計54万バレル/日）、年産73万トン・100万トン・120万トンのナフサクラッカーが各1基（合計293万トン/年）、出力60万キロワットの石炭火力発電設備が3基（合計180万キロワット）を含む大型設備が建ち並ぶ。日本国内には、1箇所で54万バレル/日ものトッパー能力を有する製油所はない。1基で120万トン/年もの生産能力をもつナフサクラッカーも存在しない。麥寮コンプレックスの石炭火力発電所から売却される電力量は、台湾全体の総発電力量の11%に達する。どれをとっても、桁違いの大きさなのだ。

しかも驚くべきことに、麥寮コンプレックスの全体が、台湾プラスチックグループ（台塑企業、Formosa Plastics Group）という1企業体によって、所有・運営されている。全国各地に分散して存在し、しかも同一地区内に多数の企業が林立して、「地理の壁」・「資本の壁」に悩む日本のコンビナートの場合とは、事情がまったく異なる。

台湾プラスチックグループは、１９５４年に台湾・高雄の塩ビメーカーとして、産声をあげた。石化企業として着実に成長をとげた同社は、１９９０年代前半に麥寮の地に主要な生産拠点を移し、石油化学事業から上流に遡及して石油精製事業にも展開するようになった。かつて遠浅の海を利用して牡蠣の養殖がさかんであった麥寮の浜は、大規模な浚渫埋立によって、台湾を代表する工業港に変貌し、台湾プラスチックグループは、整備された工業用地に巨大な石油精製・石化プラントを建設した。その後同グループは、麥寮で発電事業を開始するとともに、病院運営、ホテル経営、大学運営などにも事業の手を広げた。最近では、ベトナムに製鉄所も建設した。台湾プラスチックグループは、今日では、台湾経済の屋台骨を支える大企業となっている。

麥寮コンプレックスの国際競争力を生み出すもう一つの源泉は、港湾だ。最深部でマイナス24メートルに及ぶ麥寮コンプレックスの専用港には、30万トン級の超大型タンカー（ＶＬＣＣ）が直桟できる。訪れた日も、20万トンクラスの大型船舶が停泊中であった。これらの大型船舶によって、原油輸入のみならず製品輸出も行われる。主要な製品販売先である中国本土とは、わずか２００キロメートルしか離れていない。麥寮港には、多くのアンローダーを擁する石炭陸揚げ設備も存在する。LPガスを取り扱う埠頭も、広く大きい。規模の経済の威力を遺憾なく発揮する石油精製・石化プラントや石炭火力発電設備だけでなく、大規模で効率的な港湾施設もまた、麥寮コンプレックスの世界トップクラスの国際競争力を支えていることは明らかである。

麥寮コンプレックスの圧倒的な競争力を目の当たりにして、日本の石油精製・石化企業はどう立ち向かえばよいのかと、思わず考えた。答えのヒントを与えるのは、コンプレックス内には、台湾プラスチックグループが日本企業を含む外国企業と提携して建設したプラントがいくつかあるという事実だ。

例えば出光興産は、自前の技術を活かして、台湾プラスチックグループと合弁企業を設立し、麥寮コンプレックス内に水添石油樹脂のプラントを建設中である。その現場に立つと、出光興産・徳山事業所内に存在する同種の装置に比べて、規模が大きいことがよくわかった。出光興産はまた、生産技術をライセンスしたことを契機にして、台湾プラスチックグループとポリカーボネートの販売合弁企業を経営している。用途の開拓を含む高付加価値製品の開発に出光興産が貢献していることもあって、当該プリカーボネート事業の収益性は、近年向上していると聞いた。

台湾プラスチックグループが強い国際競争力を有しているとはいえ、技術面や人材確保面で日本企業に依存する部分は、まだまだ存在する。この事実をふまえて、台湾プラスチックグループと提携し、グローバルに事業を展開していく。そのことは、日本の石油精製・石化企業にとって、重要な成長戦略の一つになるのではなかろうか。

石油の成長戦略を遂行するためには、政府の支援が欠かせない。この章の最後に掲げる**エッセイ㉝**は、産油国と日本との関係強化に力を尽くす政府系機関・ＪＣＣＰ（一般財団法人国際石油・ガス協力機関）の活躍ぶりに光を当てたものである。

《エッセイ㉝》　アブダビ・日本の関係緊密化とＪＣＣＰの役割

２０２０年５月４日発信

ＪＣＣＰ、一般財団法人国際石油・ガス協力機関。石油ダウンストリーム部門における技術交流や人的交流を通じて、産油・産ガス国と日本との友好関係を増進し、わが国の石油・天然ガスの安定供給に貢献することを目的として、１９８１年に設立された政府系機関である。

そのＪＣＣＰは、アブダビと日本との関係緊密化を図るべく、さまざまな活動に取り組んでいる。アブダビは、アラブ首長国連邦（ＵＡＥ）を構成する中心的な首長国であり、日本向けに大量の原油を輸出する世界的な産油国でもある。

ＪＣＣＰが取り組む諸活動のなかでも注目を集めているのは、「女性のキャリア開発に向けた友好委員会」だ。これは、日本・アブダビ両国の石油関連分野で働く女性の支援・交流に取り組む組織である。このほか、ＪＣＣＰは、アブダビ国営石油精製会社リサーチセンター（ＡＲＲＣ）とのあいだで、「製油所安定操業・稼働率最大化に向けた共同支援」を進める。また、アブダビ国営石油会社グループとは、「製油所の水環境負荷低減に関する支援化確認事業」や「石油ダウンストリーム設備における太陽光発電導入に向けた共同事業」、「海域環境保全強化に関する共同事業」なども行っている。

２００９年に活動を開始したＡＲＲＣについては、出光興産が、組織設計と設立、パイロット装置の導入、ＲＦＣＣ（重油流動接触分解装置）触媒評価装置の配備、製油所経営の貢献と、長期にわたって支援を続けてきた。その支援には、19年以降、ＪＣＣＰも参画するようになった。現在、製油所経営への貢献は、具体的には、ＲＦＣＣの操業安定化・改善、製油所設備の信頼性向上、最適触媒の選定・開発などの形で進められている。今回、ＡＲＲＣの研究室を見学させていただいたが、そこには、さまざまな装置が所狭しと配置され、稼働していた。

18年に実現したＩＮＰＥＸ（国際石油開発帝石）のアブダビ沖ザクム油田の権益延長にとっても、アブダビと日本との緊密な関係は決定的な成功要因となったと聞く。ザクム油田はわが国の自主開発原油比率を向上させる切り札的な意味合いをもつ巨大油田であり、権益延長が日本のエネルギーセキュリティ確保にはたした役割は大きい。アブダビとの関係強化に力を入れるＪＣＣ

Pは、これに間接的な形で貢献したわけであり、今後のさらなる活躍が期待される。

アブダビでは、再生可能エネルギーを活用した未来型大規模スマートシティをめざすマスダールの建設現場も見学した。完成までになお10年を要する壮大なプロジェクトだが、すでに10メガワットの太陽光発電所は運転を開始していた。敷地内にあるIRENA（国際再生可能エネルギー機関）では、世界各国から集まった研究者たちが、太陽光・風力・水力・地熱・バイオマス・潮力などの再生可能エネルギーの開発・普及に取り組んでいる姿を、目の当たりにすることができた。アブダビは、産油国だけでなく、再エネ先進国としての姿を整えつつある。

【10年後の状況と今後の展望】

〔国内での成長戦略〕

先述したように、「冷静に状況を分析すれば、日本の石油精製業には、国内で二つ、海外で二つ、合計四つの成長戦略が存在する」。ここでは、この点を掘り下げる。

まず、国内での成長戦略に目を向けよう。

日本国内における石油精製業の成長戦略を考える際にヒントを与えるのは、第一次石油危機が発生した1973（昭和48）年と東京電力・福島第一原子力発電所事故が発生する前年の2010（平成22）年とを比べた2組の数字のペアである。日本の発電電力量の電源別構成比における石油火力発電のシェアは、この間に73％から8％にまで急減した。一方、わが国の一次エネルギー構成に占める石油のウエートは、同じ期間に78％から40％へ減少したものの、減少幅（減少率）は石油火力発電の場合に比べればかなり小さかった。

石油を火力発電用などの燃料として使用することは、ある意味で「もったいない使い方」である。石油以外にも代替燃料はあるし、発電用として使用することは、エネルギー効率が高いとは言えない。一方、**エッセイ㉒**で言及したように、石油を原料として使用する場合には、石油からしか製造できない付加価値の高い商品を生み出すことができる。このように「石油の特性を活かし付加価値を高める用途に使う」ことを、「石油のノーブルユース」と言う。

一次エネルギー構成に占める石油のウエートが発電電力量の電源別構成比における石油火力発電のシェアほどには減らなかったという事実は、わが国において石油のノーブルユースの割合が高まったことを意味する。もちろん、2010年においても、ノーブルユースの比率それ自体が必ずしも高かったわけではない。しかし、ノーブルユースの比率が傾向的に高まってきたことは事実であり、付加価値を生む石油のノーブルユースを徹底させることこそ、日本国内における石油業界の第1の成長戦略だと言うことができる。

わが国の石油精製業にとって国内での第2の成長戦略となりうるのは、ガス事業ないし電気事業に本格的に参入することである。いわゆる「オイル＆ガス」戦略ないし「オイル＆パワー」戦略が、これに当たる。**エッセイ⑯**で論じた経営統合をはたした日本の大手石油元売会社は、ガス市場ないし電気市場での営業活動を強化しつつある。

ここまで述べてきた①石油のノーブルユースの徹底と②ガス・電気事業への本格参入は、日本国内の市場を対象にした石油精製業の成長戦略である。これらのほかにも、海外市場、とくに石油製品の需要が急伸するアジア市場を対象にした成長戦略が存在する。それが、③輸出の拡大および④海外直接投資の推進という、第3、第4の成長戦略である。**エッセイ⓯**、**エッセイ⓰**、**エッセイ㉒**、**エッセイ㉝**はいずれも、海外での成長戦略にかかわっている。

石油製品の需要は、日本の国内市場では減退しているが、アジア市場では伸長している。それに対して、アジア諸国（とくに東南アジア諸国）での製油所建設は立ち遅れており、多くの国々は、石油製品の輸入を増大させている。ここに、輸出の拡大という第3の成長戦略が成り立つ、基本的な根拠がある。

ただし、日本国内では日本の製油所は、早い時期に建設されたこともあって、アジア域内の新興国・地域（韓国・中国・台湾・インドなど）の製油所に比べて、規模の経済の発揮の点で遅れをとっている。しかし、需要の変動が激しい商品の市場においては、小回りの利く小規模生産者の方が競争優位に立つこともある。大企業の大規模工場より、中小企業の小規模工場が多数集まった産業集積の方が、需要の変動に柔軟に対応しうることは、産業集積論の「柔軟な分業」の理論が教えるところである。日本の製油所がアジアの石油製品市場の変化に的確に反応し、市場が求める製品を機敏に供給することができるならば、輸出の拡大は、わが国の石油業界にとって有望な成長戦略になりうるのである。

第4の成長戦略である海外直接投資については、最近、恰好の事例が出現した。**エッセイ⑮**で取り上げた出光興産が、三井化学・クウェート国際石油・ペトロベトナムと協力して、ベトナムで進めているニソン・プロジェクトが、それである。このプロジェクトは、ベトナム北部に出光興産と三井化学の技術によって製油所・石油化学工場を建設し、そこでクウェート産原油を処理して得た製品を、ベトナム国内および中国南部で販売しようという、グローバルなプロジェクトである。ニソン・プロジェクトが実行に移されると、日本の石油業界は、第二次世界大戦後長く続いた国内を対象にした消費地精製方式の枠組みから脱却することになる。

第7章　新機軸

【事実経過】

東京電力・福島第一原子力発電所事故から10年近く経つあいだには、すぐには実現することはできないが、将来の日本のエネルギーのあり方を大きく変える可能性をもついくつかの出来事があった。この章では、それらの「新機軸」に目を向ける。取り上げるのは、メタンハイドレートの開発、東アジア諸国間のエネルギー協力、極東における国際送電連系、の3点である。

一つ目のメタンハイドレートは、日本の周辺海域の海底に賦存する、水分子にメタン分子が取り込まれ氷状になっている物質のことである。その開発が進めば、「資源小国」日本のエネルギー事情は大きく好転する。

二つ目の東アジア諸国間のエネルギー協力は、エネルギー輸入国として国際的に高いプレゼンスをもつにいたった日本・中国・韓国・台湾が、「買手連合」として連携する道をさぐるものである。第

5章と第6章でアジア地域を論じた際には主として東南アジアないし南アジアの諸国を念頭に置いていたが、ここでは、東アジアの国・地域に焦点を合わせることになる。

三つ目の極東における国際送電連系は、日本・韓国・中国・ロシア・モンゴル等にまたがる送電線の敷設をめざすものである。もし、この連系が実現すれば、国際的な送電網から隔離されているために生じている種々の制約条件が緩和され、日本はより柔軟な電源構成・系統運用を手に入れることができる。

【3編のエッセイ】

この章では、「新機軸」にかかわる3編のエッセイを取り上げる。最初は、メタンハイドレートに注目した**エッセイ❾**である。

《エッセイ❾》 メタンハイドレートの商業生産開始は可能か

2014年11月10日発信

メタンハイドレートとは、低温高圧の条件下で水分子にメタン分子が取り込まれ、氷状になっている物質である。「燃える氷」と呼ばれることが多いメタンハイドレートは、温度を上げるか圧力を下げるかすると、水分子とメタン分子が分離する。分離されたメタン分子は天然ガスの主成分と同じものであり、重要な非在来型資源と位置づけられる。

わが国は、世界第6位の領海・排他的経済水域（ＥＥＺ）・大陸棚の広さを有し、これらの海域では大規模なメタンハイドレートの存在が確認されている。２００６年度に行われた国の調査によれば、東部南海トラフ海域におけるメタンハイドレートの原始資源量（地下に集積が見込まれる資源の単純な総量で、可採埋蔵量とは異なる）は、1.1兆立方メートルに達する。これは、12年度のわが国の天然ガス消費量の約10年分に相当する。

言うまでもなく、国内に存在する資源は、供給リスクの低さの点から見て、最も安定したエネルギー供給源である。メタンハイドレートを産出、利用することができれば、「資源小国」日本のエネルギー事情は大きく好転する。メタンハイドレートは、わが国にとってまさに「夢の国産資源」なのである。

日本周辺に存在するメタンハイドレートには、「砂層型」と「表層型」の二つのタイプがある。「砂層型」のメタンハイドレートは、水深１０００メートル以深の海底下数百メートルの地層中で砂と混じり合った状態で賦存している。おもに太平洋岸沖の東部南海トラフ海域を中心に相当量の賦存が見込まれているが、砂層型メタンハイドレートを安定的、経済的に産出するためには、自噴を前提とした在来型石油・天然ガスの生産技術のみでは不十分であり、減圧・加熱により地層内でメタンハイドレートをメタンガスと水に分解したうえで、採取管を通してメタンガスを洋上に回収する新たな技術開発が必要となる。

一方、「表層型」のメタンハイドレートは、水深500~2000メートルの海底に塊状で存在する。おもに日本海側沖合を中心に、存在が確認されている。表層型メタンハイドレートについては、分布する海域や資源量などの本格的な調査の実施と、その結果をふまえた開発手法の確定が求められる。

13年1月から、独立行政法人石油天然ガス・金属鉱物資源機構(JOGMEC)は伊勢湾沖で、世界に先がけて海域における減圧法(メタンハイドレートが埋蔵されている地層内の圧力を下げることによって、地層内においてメタンハイドレートをメタンガスと水に分離し、地表ないし洋上からつなげたパイプを通じてメタンガスを回収する手法)による砂層型メタンハイドレートからのメタンガス生産実験を実施した。そして同年3月には、6日間で累積約12万立方メートルのガス生産量を確認した。

この実験の成功を受けて日本政府は、13年4月に新しい「海洋基本計画」を閣議決定し、そのなかでメタンハイドレートの開発に積極的に取り組む方針を打ち出した。そして経済産業省は、新「海洋基本計画」の内容を具体的に推進するために同年12月、新たな「海洋エネルギー・鉱物資源開発計画」(新「開発計画」)をとりまとめた。新「開発計画」の最大の特徴は、海洋産出試験で成果をあげた砂層型メタンハイドレートの利用に関して、平成30年代後半（２０２３～２７年）に民間ベースでの商業化をめざすという目標時期を明示した点に求めることができる。

もちろん、メタンハイドレートの実用化・商業化には、解決しなければならない問題が多々存在する。開発への取組みが一歩先行している砂層型メタンハイドレートに限ってみても、以下のような課題を達成しなければならない。

第１は、生産技術の確立である。13年に実施した海洋産出試験では、坑井内に砂が流入する出砂が想定以上に発生したこと、気象条件が悪化したことなどにより、当初２週間を予定していたガス生産実験が６日間で終了することとなった。出砂など長期安定生産を行ううえで障害となる課題を克服する技術開発が急務である。また、減圧法のさらなる改良によって、生産量を増大させる必要があることも判明した。

第２は、経済性の確保である。13年の海洋産出試験は、海洋の実際のフィールドで減圧法を適用した場合、どれくらいのコストがかかるかを推計するデータを得ることにあった。今後は、減圧法に限らず他の手法も視野に入れて、生産コストを飛躍的に低減する方策を講じなければならない。

第３は、環境面での影響の把握である。これからは、より長期の海洋産出試験の実施へ向けて、事前・事後を含めた環境面での影響評価を正確に遂行することが重要な意味をもつ。

「メタンハイドレートの商業生産開始は可能か」という問いに対する答えは、これらの課題がクリアされるか否かによって変わってくる。

次は、東アジア諸国間のエネルギー協力に関係する**エッセイ⑩**である。このエッセイは、特に日中間協力に焦点を当てている。

《エッセイ⑩》 今、日中エネルギー協力の可能性

2015年11月24日発信

2007年10月17日、東京において、世界経済研究協会が主催する「第10回世界経済評論フォーラム」が開かれた。同フォーラムのテーマは「日中エネルギー協力の課題と挑戦」であったが、席上、基調報告を行った中国出身の郭四志（日本エネルギー経済研究所主任研究員＝当時）は、次のように述べた。

「日中エネルギー協力にはお互いの理解は重要です。中国の表現で、日本語でも言えるそうですが、『大同小異』を原則と踏まえて、摩擦を克服し、相互理解を深め信頼関係を築いて対中エネルギー事業の展開をしたほうがいいと思います。このようにすれば多分成功していくと思いま

す」（郭四志「日中エネルギー協力の課題と挑戦」『世界経済評論』２００７年12月号、10頁）。

郭が「大同小異」をキーワードとしたように、日中両国間には、エネルギー協力を必然化するような共通の利害が存在する。それは、いずれも石油・石炭・ＬＮＧ等の化石燃料の輸入国として、それらを安価かつ安定的に調達する必要に迫られているという「共通の利害」である。このような状況が生まれたのは、中国が急速な経済発展の結果、化石燃料輸入国に転じた比較的最近のことである。

エネルギー問題をめぐって日中両国が「大同小異」の状況にあると郭が指摘したのは、０７年のことである。その後、08年3月にはリーマンショックが、11年3月には東日本大震災と東京電力・福島第一原子力発電所事故がそれぞれ発生したが、「大同小異」の状況に大きな変化はない。具体的なエネルギー協力のテーマとしては、安価かつ安定的なＬＮＧ（液化天然ガス）調達策と、省エネルギー技術の移転による地球温暖化防止策との二つをあげることができる。このうち、天然ガスの調達に関しては、日中両国に韓国を加えた東アジア3国の協力が重要になる。

14年夏以来の原油価格低落の影響で、現時点では一時的に目立たなくなっているが、長期的・構造的に見れば、世界の天然ガス市場は三極化しており、米国と欧州、そして日中韓を含む北東アジアとのあいだには、大きな価格差が存在する。なぜ、北東アジア諸国の天然ガス調達コストは高いのか。

一つの理由は、アメリカでシェールガス革命が進行したことである。この結果、ヘンリー・ハブにおける天然ガスの取引価格は、劇的に低落した。

もう一つの理由は、北東アジアの場合、欧州とは異なり、域内をカバーする天然ガスのパイプライン網が整備されていないことである。欧州市場での天然ガス価格が米国市場よりは高く、北東アジア市場よりは安いのは、米国とは違ってシェールガスの本格生産には至っていないこと、北東アジアとは違ってパイプライン網が整備されておりロシア・北アフリカ・北海など複数の供給源から天然ガスを調達できること、によるものである。

ここで想起する必要があるのは、世界最大のLNG輸入国は日本であり、それに続くのは韓国だという事実である。また、中国も最近では、LNG輸入量を急増させている。北東アジアの天然ガス取引において日中韓3国が協力してバイイングパワーを働かせるならば、LNG調達価格の引下げは、けっして不可能な夢物語ではないのである。

日中エネルギー協力の可能性は、安価で安定的な天然ガスの調達をめぐって存在しているだけではない。省エネルギー技術の移転による地球温暖化防止策の強化という面でも、エネルギー協力の可能性は広がっている。この面では、大量に二酸化炭素を排出する一方で、中国の電源構成において圧倒的なウエートを占めるがゆえに運転を停止することなどありえない、石炭火力発電の分野での日本から中国への技術移転が、とくに大きな効果をあげることだろう。

このように日中エネルギー協力の高い可能性が存在するにもかかわらず、現実には協力が進んでこなかったのはなぜだろうか。エネルギー協力では政府間の連携が欠かせないが、経済ベースで協力を進める主体はあくまで企業である。にもかかわらず、日本のエネルギー企業の大半は「内向き」で国内ばかりに目を向けており、国際展開にきわめて消極的である。その姿は、次々とニューヨーク証券取引所への株式上場を果たした中国のエネルギー企業とは、あまりに対照的である。日本のエネルギー企業で、ニューヨーク上場を果たしたものはない。日中エネルギー協力が本格的に進展するための第一歩は、日本の電力会社・ガス会社・石油会社が中国のエネルギー企業をベンチマークにして、国際企業へ変身することにある。「急がば回れ」なのである。

最後に取り上げるのは、北欧の国際連系送電線を支える高圧直流送電技術について論じた**エッセイ⓬**である。この技術は、極東における国際送電連系においても、活用することができる。

《エッセイ⓬》　高圧直流送電の可能性：スウェーデンで学んだこと

２０１６年7月4日発信

２０１６年の5月、スウェーデンとフィンランドを結ぶ国際連系送電線のスウェーデン側の起点となっている交流・直流変換施設、Finnböle HVDC Station（Fenno-Skan 2）を見学させていただく機会があった。この国際連系線（80万キロワット、50万ボルト）の基本部分は海底を通っているが、Fenno-Skan 2自体は海岸から70キロメートルほど離れた内陸部にあり、海底送電線の入口となる海際のFenno-Skan 1とのあいだを直流架空送電線が結んでいる。

現地を見て、一番驚いたことは、Fenno-Skan 2が無人で遠隔運転されていたことだ。日本国内でも、静岡県の佐久間周波数変換所や徳島県の阿南変換所（紀伊水道直流連系設備の四国側起点）などの交流・直流変換施設を見学させていただいたことがあるが、セキュリティ上の理由もあって、無人運転など想像だにしなかった。北欧特有の治安の良さも背景にあるのだろうが、交流・直流変換施設を起点とする高圧直流送電（ＨＶＤＣ）方式が電力系統のなかで当たり前の存在として位置づけられている、その「日常性」にむしろ感心した。

Fenno-Skan 2の主要な設備は、スウェーデンとスイスに本拠を置く国際的な重電機メーカー、ＡＢＢによって供給されている。Fenno-Skan 2のサイトを訪れた翌日、ＡＢＢの幹部数人からお話をうかがうことができた。

そのお話のなかで印象的だったことは、高圧直流送電方式が、世界的には、国際海底連系線だけでなく、内陸部の広域連系線でも幅広く活用されていることだ。北米・南米の大陸内連系線、中国の国内広域連系線などに、高圧直流送電方式はすでに導入されている。

直流送電は、交流送電に比べて、送電ロスが小さい。日本のようにほとんど交流送電方式からなる電力系統の場合に生じる、迂回潮流を減らすというメリットもある。この迂回潮流は、太陽光や風力などの再生可能エネルギーによる発電が普及するといっそう増大するが、直流送電は、それを抑制する機能をはたす。つまり、高圧直流送電方式は、再生可能エネルギー電源の普及を促進する意味合いをもつのだ。

そもそも今回、スウェーデンを訪れた理由は、日本と韓国を結ぶ国際連系送電線の可能性をさぐることにあった。日韓連系送電線が実現すれば、日本の電力卸市場の取引規模が拡大する。そうなれば、電力小売全面自由化の成果は、さらに大きくなる。日韓連系送電線には、当然のことながら高圧直流送電方式が採用される。

ただし、高圧直流送電方式が日本にもたらすメリットは、日韓連系送電線の建設だけにとどまるわけではない。再生可能エネルギー電源の普及を促進し、国内電力系統の改善・強化にも貢献しうるのだ。高圧直流送電方式は、大きな可能性をもっている。そのことを学習した今回のスウェーデン行であった。

【10年後の状況と今後の展望】

【アジア版IEA設立構想】

「新機軸」として取り上げた三つの項目のうちメタンハイドレート開発の今後の展望については、現時点で、**エッセイ❾**の内容に付け加えるべきことはあまりない。そこでこの節では、残りの二つの項目について、将来展望にかかわる論点を追記することにしよう。

まず、東アジア諸国間のエネルギー協力については、**エッセイ⑩**の考え方を発展させて、アジア版ＩＥＡ（国際エネルギー機関）を設立することを視野に入れるべきである。

２０１８（平成30）年に閣議決定された第５次エネルギー基本計画には、資源外交の展開に関連して、「マルチの枠組みを活用した国際ルール・慣行の醸成に向けた需要国間連携等を実施していく」(注33)と記されている。資源外交に関しては、供給国（産油国・産ガス国・産炭国・金属資源産出国など）との関係強化が謳われることが多いので、この「需要国間連携」という言葉は、新鮮に響く。

石油について見れば、需要国間連携とは、石油を輸入する各国が協力して、石油輸出国に対するバイイングパワーを高めようとする動きということになる。かつて、石油の世界で、需要国間連携が声高に叫ばれた時代があった。それは、１９７０年代に2回にわたって発生した石油危機の時のことである。石油輸出国が結成した国際カルテルであるＯＰＥＣ（石油輸出国機構）が力を強め、第４次中東戦争を機に原油価格を大幅に引き上げたのに対抗して、石油輸入国が需要国間連携の強化をめざしたのである。

需要国間連携強化をめざす石油輸入国による協調行動は、１９７４（昭和49）年の国際エネルギー機関（ＩＥＡ）の設立をもたらした。ＩＥＡは、本部をフランスのパリに置き、現在の加盟国は、

(注33)『エネルギー基本計画』、２０１８年7月、28頁。

オーストラリア、オーストリア、ベルギー、カナダ、チェコ、デンマーク、エストニア、フィンランド、フランス、ドイツ、ギリシャ、ハンガリー、アイルランド、イタリア、日本、ルクセンブルグ、メキシコ、オランダ、ニュージーランド、ノルウェー、ポーランド、ポルトガル、韓国、スロバキア、スペイン、スウェーデン、スイス、トルコ、イギリス、アメリカ（アルファベット順）の30カ国である。

ＩＥＡ設立に主導権を発揮したのは、アメリカであった。そのことは、ＩＥＡ設立を提唱したのが、キッシンジャー米国務長官（当時）だった事実からも窺い知ることができる。

ところが、現在の状況は、ＩＥＡ設立当時とは相当に異なる。２０１８年の原油輸入額の国別ランキングを見ると、上位から、中国、アメリカ、インド、日本、韓国の順である。一方、同年の天然ガス輸入額の国別ランキングは、上位から、日本、ドイツ、中国、韓国、イタリアとなる。ＬＮＧ（液化天然ガス）に絞れば、近年、中国の輸入量が急伸し、17年に中国は、３位の韓国を抜き、１位の日本に続いて、世界第2位のＬＮＧ輸入国になったと言われる。

ここで注目すべき点は、ＩＥＡの設立を主導したアメリカが、シェール革命の進行によって今や、石油・天然ガスの輸入国から輸出国に転じつつあることだ。これにともない、ＩＥＡ自身も徐々に性格を変えつつある。最近のＩＥＡは、石油・天然ガス輸入国の国際協調機関としての役割を弱め、毎年の *World Energy Outlook* の発表などに示されるように、エネルギー・環境問題に関する国際的な調査・提言機関としての機能を強めつつある。そもそも、やや厳しい表現をするならば、現時点で、石油輸入額1位・天然ガス輸入額3位（LNG輸入量では2位）の中国や石油輸入額3位のインドが加盟しないIEAには、エネルギー輸入国の国際協調機関としての役割を担う要件が十分には備わっていないと言わざるをえない。

そうであるとすれば、エネルギー需要国間連携を真に体現する、有力な石油・天然ガス輸入国の国際協調機関を再構築するためには、既存のIEAとは別に、日本・中国・インド・韓国などを主要メンバーとする新たな国際機関を設立する必要がある、ということになる。それは、「アジア版IEA」とでも呼ぶべきものであろう。

現在であれば、日本は、アジア版IEAの設立に際して、中心的な役割をはたすことができる。石油輸入で中国の後塵を拝することになったとはいえ、再生可能エネルギーとともに21世紀前半の世界のエネルギー供給をリードする天然ガスについて見れば、日本は最大の輸入国であり続けているからだ。

ここまで述べてきたようなエネルギー輸入をめぐる国際環境の変化を考慮に入れれば、今回策定された第5次エネルギー基本計画が、資源外交に関連して、需要国間連携の重要性に言及したことの意義は大きいと言える。問題は、日本政府が、需要国間連携に本気で取り組み、アジア版IEAの設立に道を開くような真剣さを持ち合わせているか否かだ。

このような懸念をあえて表明するのは、16年に経済産業省が鳴り物入りで打ち出した「LNG市場戦略」（注34）が、あまりにドメスチック（国内的）な内容だったからである。LNG輸入の世界的なセンターである東アジア地域に「流動性の高いＬＮＧ市場」を構築することを追求するのであれば、「日本ＬＮＧハブ」、つまり、日本は「世界最大のＬＮＧ需要国という優位性を活かし、ＬＮＧ取引の集積や価格の形成・発信の面で国際的に認知された『ハブ』となることをを目指すべき」(注35)というような一国的な視点から脱却して、中国・韓国・台湾等と協調する国際的視点を導入することが必要なのではあるまいか。一国的視点への固執は、アジア版ＩＥＡ設立に関しても、その実現を困難にする阻害要因になりかねない。

一方で、東・東南アジアには、日本政府の提唱で08年に設立された東アジア・アセアン経済研究センター（ＥＲＩＡ）が存在する。ＥＲＩＡは多様な役割をはたしているが、そのなかにはエネルギーに関する需要国間連携に当たる機能も含まれる。インドネシアのジャカルタに本部を置き、アセアン（ＡＳＥＡＮ、東南アジア諸国連合）諸国と日本、中国、韓国、インド、オーストラリア、ニュージーランドが参加するＥＲＩＡが、今後、アジア版ＩＥＡの設立につながる動きを見せるか、注目してゆきたい。

【アジア国際送電網建設構想】

次に、極東における国際送電連系については、**エッセイ⓬**で紹介した高圧直流送電技術を使った具体的な構想がすでに発表されたことを、特記すべきであろう。自然エネルギー財団に事務局を置くアジア国際送電網研究会が18年６月に発表した『第２次報告書』(注36)が、それである。筆者は、この研究会の委員をつとめている。

『第2次報告書』の「まとめ」を要約すれば、以下のとおりである。

◉日本が国際連系線を建設することは物理的・技術的に可能であり、海底ケーブルから陸揚げ後の国内ネットワークとの接続にも大きな問題がない。

◉2ギガワットの国際連系線の建設費用は、日本国内の系統拡充の費用まで含めても、2000億円強（日韓）から6000億円弱（日露）の範囲内であり、十分に回収可能である。

◉法的枠組みについては、さらなる検討が必要であるものの、既存の送電関連事業ライセンスでも一定の対応は可能である。国際送電事業ライセンスを新設する選択肢もある。

◉外交関係の改善も含めて、さまざまな社会的便益が想定され、日本の電力システムがより柔軟で強靭なものへと進化することに貢献しうる。

＊自然エネルギーの飛躍的なコスト低減と大量導入は、世界的なエネルギー転換の一断面であり、不可避の現象である。このカギとなるのが国際送電網である。

＊2018年に発表された資源エネルギー庁の「エネルギー情勢懇談会提言」・「エネルギー基本計画」は、「国際連系線を活用した再生可能エネルギー拡大という戦略」について言及した。

(注34) 経済産業省『LNG市場戦略～流動性の高いLNG市場と〝日本LNGハブ〟の実現に向けて～』、2016年5月2日。
(注35) 同前6頁。
(注36) 『アジア国際送電網研究会　第2次報告書』自然エネルギー財団、2018年6月。

北東アジアの国際情勢が大きく変わろうとしているなかで、日本政府も今こそ検証から行動へ移すことが求められる。(注37)

この要約からわかるように、『第２次報告書』は、アジア国際送電網の建設を再生可能エネルギーの利用拡大と結びつけてとらえている。モンゴルの風力発電やロシアの水力発電で生まれた電気を、日本にも送り届けようというのである。

(注37)　以上の点については、『アジア国際送電網研究会　第２次報告書　概要版』自然エネルギー財団、２０１８年６月、36頁参照。

第8章　水　素

【事実経過】

第7章で取り上げた「新機軸」の3項目のほかにも、東京電力・福島第一原子力発電所事故後の10年近くのあいだに「将来の日本のエネルギーのあり方を大きく変える可能性をもつ出来事」として、社会的な注目を集めたものがある。水素の利活用の拡大が、それである。ただし、水素の利活用は、2010年代にある程度具体的な進展を見せたので、「すぐには実現することはできない」事項とは言えない。「新機軸」としてではなく、別の章を立てて論じるゆえんである。

2018（平成30）年に閣議決定された第5次エネルギー基本計画は、前年の17年に再生可能エネルギー・水素等関係閣僚会議が決定した「水素基本戦略」[注38]をふまえて、燃料電池と水素の利用を促進

（注38）再生可能エネルギー・水素等関係閣僚会議『水素基本戦略』、2017年12月26日。

する方針を打ち出した（注39）。第5次エネルギー基本計画に先行する14年策定の第4次エネルギー基本計画は、水素について、「将来の二次エネルギーの中心的役割を担うことが期待される（注40）」と述べ、きわめて高い評価を与えた。これを受けて14年中に、資源エネルギー庁省エネルギー・新エネルギー部燃料電池推進室が事務局をつとめた水素・燃料電池戦略協議会が、「水素・燃料電池戦略ロードマップ（注41）」をとりまとめた。同じ14年には、東京都が、20年に予定されていた東京オリンピック・パラリンピックを水素社会実現へ向けた大きなステップとする方針を打ち出し、具体的な施策と予算措置を発表した（注42）。それに相前後して、ホンダとトヨタが燃料電池自動車の市場投入を決め、岩谷産業とJX日鉱日石エネルギーが水素ステーションでの水素販売価格を公表した。水素エネルギー活用へ向けての動きが、一挙に活発化したのである。

このように2014年は、水素エネルギー活用へ向けて、「山が動き始めた」年になった。それから3〜4年を経て公表された「水素基本戦略」と「第5次エネルギー基本計画」は、「山が動き始めた」水素エネルギー活用への流れに拍車をかけようとしたものだと言える。

第5次エネルギー基本計画は、水素基本戦略の方針を踏襲しているだけでなく、水素・燃料電池戦略ロードマップの内容も踏襲している。水素・燃料電池戦略ロードマップは、14年に策定されたのち16年と19年に改訂されたが、その骨格は変わっていない。

14年策定の「水素・燃料電池戦略ロードマップ」は、2025年ごろまでのフェーズⅠ、2020年代後半から2030年ごろにかけてのフェーズⅡ、2040年ごろへ向けたフェーズⅢの3段階に分けて、それぞれの到達目標を示している。この三つのフェーズに分けて水素活用に取り組むアプローチは、2016年、2019年のロードマップ改訂後も維持され、今日にいたっている。

フェーズⅠでは、水素利用の飛躍的拡大（燃料電池の社会への本格的実装）が課題となる。具体的には、家庭用燃料電池および燃料電池自動車の市場投入に続いて、業務用・産業用の燃料電池を市場投入する。2020年ごろにはハイブリッド車の燃料代と同等以下の水素価格を実現し、2025年ごろには同車格のハイブリッド車と同等の価格競争力を有する燃料電池車の車両価格を実現する。

フェーズⅡの課題は、水素発電の本格導入および大規模な水素供給システムの確立である。具体的には、2020年代半ばに海外からの水素価格（プラント引渡価格）を30円／N㎥（ノルマルリューベ、標準立方メートル）とし、商業ベースでの効率的な水素の国内流通網を拡大する。そして2030年ごろには、海外での未利用エネルギー由来の水素の製造、輸送、貯蔵を本格化するとともに、発電事業用水素発電を本格導入する。

フェーズⅢでは、トータルなCO2フリー水素供給システムの確立が課題となる。具体的には、2040年ごろまでに、CCS（二酸化炭素回収・貯留）や国内外の再生可能エネルギーとの組み合

（注39）　前掲『エネルギー基本計画』、2018年7月、62—65頁。
（注40）　『エネルギー基本計画』、2014年4月、60頁。
（注41）　水素・燃料電池戦略協議会『水素・燃料電池戦略ロードマップ～水素社会の実現に向けた取組の加速～』、2014年6月23日。
（注42）　東京都環境局「水素社会の実現に向けた東京戦略会議」。www.kankyo.metro.tokyo.jp/climate/hydrogen/kaigi/html

わせによるCO2フリー水素の製造、輸送、貯蔵を本格化する。

これらのうち「2010年代にある程度具体的な進展をみせた」のは、フェーズⅠである。水素社会が本当に到来するか否かは、今後、フェーズⅡ、フェーズⅢがどのような進展をたどるかにかかっている。

【3編のエッセイ】

この章では、水素の利活用にかかわる3編のエッセイを取り上げる。フェーズⅢがめざす水素と再生可能エネルギーとの結合を実現する仕組みとして注目されているのが、主としてヨーロッパで普及が進む「パワー・トゥー・ガス」がある。パワー・トゥー・ガスとは、風力発電等の余剰電力を使い水の電気分解を行って水素を発生させ、その水素をガスパイプラインに導き天然ガスに混入させて、ガス体エネルギーとして活用するという方式である。そもそも余剰電力が生じるのは送電網がボトルネックとなるからであるが、パワー・トゥー・ガスは、送電網そのものを不要にする意味をもつ。**エッセイ⑰**は、このパワー・トゥー・ガスについて論じたものである。

なお、**エッセイ⑰**は、LNG燃料を船舶用に使うLNGバンカリングについても記述している。LNGバンカリングは、今後の新たなLNG需要のあり方として、社会的に注目されている。

《エッセイ⑰》ヨーロッパの水素・天然ガス事情

2017年11月13日発信

2017年の8月、ヨーロッパの天然ガスにかかわる現場のいくつかを見学する機会があった。訪れたのは、ドイツ・ベルリンのパワー・トゥー・ガス関連の実証試験施設、およびベルギー・ジーブルージュのLNG（液化天然ガス）燃料バンカリング埠頭とLNGターミナルである。

旧東ベルリンに位置するシェーネフェルト空港近くの現場では、マクフィー（Mcphy）・トタール（TOTAL）・リンデ（Linde）・2G（Kraft-Wärme-Kopplung）の各社が連携して、パワー・トゥー・ガス関連の実証試験を実施している。マクフィーが水の電気分解による水素の製造、リンデが水素の貯蔵・圧縮とリフィリング、トタールが水素のリフィル・ステーション、2Gが水素製造過程で生じる熱の供給をそれぞれ担当し、リフィル・ステーション通じて燃料電池車・燃料電池バスに供給している。また、熱については、トタールのステーション内の洗車装置および敷地に隣接するバーガーキングのショップが、供給先となっている。実証試験であるため電気は地元のグリッドから購入している、水素を付近のガスパイプラインに混入していない、当初予定されていたシェーネフェルト空港の拡張が遅れており現時点では「空港の水素化」が実現していない、などの限界はあるが、パワー・トゥー・ガスの基本的な仕組みを目の当たりにすることができた。

とくに、パワー・トゥー・ガスの根幹となる水電解装置（エレクトロライザー）を間近から観察できたことは、意義深かった。0・5メガワットの基本ユニットであったが、これを組み合わせることによって10メガワット用もまもなく稼働すると、説明に当たったマクフィー社の担当者は語っていた。

彼の解説によると、ヨーロッパでは、ドイツを中心にしてパワー・トゥー・ガスのプロジェクトが徐々に拡大しつつある。その多くは、送電線にのせることができなかった風力発電の余剰電力を水の電気分解（水素製造）用に使うことによって、経済性を高めている。さらに、排出権取引の対象となっている二酸化炭素を調達し水素と反応させてメタンガス（天然ガスの主成分）を製造すると、用途も広がって、経済性がさらに高まる可能性もあるようだ。

エレクトロライザー自体は、風力発電の出力変動に迅速に対応できるとのことだ。ただし、エレクトロライザーの稼働率はまだ低く、それを高めることが水素製造のコストを下げるうえで重要だと聞いた。

ジーブルージュでは、Gas4CSea（日本郵船・三菱商事・エンジーによる船用ＬＮＧ燃料供給ブランド）が運航するＬＮＧ燃料供給船（Engie Zeebrugge）を、ジーブルージェ港内から望むことができた。同船は時折、日本郵船が100%出資するICO（International Car Operators）社の自動車運搬船用荷役埠頭に停泊しているという。LNG燃料一般商船に横付けして、シップ・トゥー・シップ方式で、荷役すると同時にLNG燃料をLNG燃料一般商船に充填することができるという優れものだ。

世界的には、IMO（国際海事機関）が船舶からの硫黄酸化物（SOX）排出規制を2020年から0・5%以下にすることを決めたが、北海・バルト海域では、15年からそれよりずっと厳しいSOX0・1%以下の排出規制が適用されている。0・1%規制は、ヨーロッパの海域だけでなく北アメリカの海域にも存在しており、将来的には東アジアの海域にも適用されるかもしれない。そうなれば、規制をクリアするための方策として、LNGバンカリング船が急増する可能性がある。このような脈絡を考慮に入れれば、Gas4CSeaがジーブルージュで始めた北海・バルト海域用自動車運搬専用船に対するLNGバンカリング事業の重要性が明瞭になる。

Gas4CSeaがジーブルージュを事業地に選んだのは、ヨーロッパにおける自動車運搬専用船のハブであることに加えて、LNGが入手しやすい場所だからである。Gas4CSeaに対して、そのLNGの貯蔵およびLNG燃料供給船への積み出しを担当しているのが、ジーブルージュでLNGターミナルを運営するフラクシス社である。フラクシス社は、アンバンドリングで生まれたビジネスチャンスを活かして、LNGターミナル事業だけでなく、ガスパイプライン事業も手広く展開している。

ジーブルージュでLNG燃料バンカリング埠頭に続いて訪れたのは、フラクシス社のLNGターミナルである。同ターミナルでは、ロシア北極圏のヤマルLNG基地から搬入されるLNGを受け入れるための5基目のタンクが建造中であった。LNGタンクの容量は1基目から3基目までは各々8万キロリットル、4基目が14万キロリットル、5基目が18万キロリットルであり、総容量は56万キロリットルとなる。

フラクシス社のLNGターミナルのタンクは、半地下方式で建造されている。ジーブルージュ港がリゾートビーチに近接するためタンクの高さを制限して景観への影響を抑える一方で、安全対策上の理由からタンクの外壁がすべて目視できるようにするためだ。LNGターミナルに対する保安規制は、ベルギーと日本ではかなり異なる印象を受けた。

フラクシス社は、LNGターミナルの基地容量を第三者に貸し、その第三者が基地にLNGを持ち込んで、気化されたガスをフラクシス社が受け取るトーリング（気化加工受託）方式で運営している。カタールペトロレウム・エクソンモービル・eni・エンジーが基地容量を長期契約で保有しており、フラクシス社はそれぞれの会社のLNGを受け入れ、天然ガスを受託製造しているのだ。ターミナルの稼働率は低くても、そのことがフラクシス社の業績に影響を与えることはない。ここでも、日本とは異なる仕組みが採用されているわけだ。

ここまで述べてきたように、ヨーロッパの天然ガス最前線の現場では、さまざまな興味深い動きが見られる。そのなかには、わが国のガス事業のあり方を考えるうえで示唆に富む内容も多々含まれている。

次に取り上げる**エッセイ㊳**は、フェーズⅡに関するものである。電力業界が水素発電に消極的であるためフェーズⅡの前途には暗雲が立ち込めており、むしろガス業界が取り組もうとしているメタネーションに対する期待が高まりつつあると論じている。

《エッセイ㊳》水素社会実現へのボトルネック：電力業界が消極的な水素発電がカギ

2020年6月22日発信

ロードマップの改定

2019年の3月、「水素・燃料電池戦略ロードマップ」が再び改定された。これは、14年に初めて作られ、16年に改定されたこれまでのロードマップや、17年に発表された「水素基本戦略」などを新たな観点から見直し、発展させたものである。

19年改定の「水素・燃料電池戦略ロードマップ」は、

（1）基本技術のスペック・コスト内訳の目標など、めざすべきターゲットを新たに設定し、目標達成に向けて必要な取組みを明示した、

（2）有識者による評価ワーキング・グループを設置し、分野ごとにフォローアップを実施することにした、

という二つの特徴をもつ。全体としては、水素や燃料電池の本格的な社会的実装へ向けて、政府のやる気を改めて表明したものとして、高く評価することができる。

実現の見通しが立たない水素発電

一方で、新しい「水素・燃料電池戦略ロードマップ」をもってしても、これまでの諸施策がはらんでいたボトルネックが解消されていない事実も、きちんと指摘しておかなければならない。そのボトルネックとは、水素発電の実現の見通しが立たないことにある。

14年に策定された「水素・燃料電池戦略ロードマップ」は、2025年ごろまでのフェーズⅠ、2020年代後半から2030年ごろにかけてのフェーズⅡ、2040年ごろへ向けたフェーズⅢの3段階に分けて、それぞれの到達目標を示していた。フェーズⅠでは、「水素利用の飛躍的拡大（燃料電池の社会への本格的実装）」が課題となる。フェーズⅡの課題は、「水素発電の本格導入」および「大規模な水素供給システムの確立」である。フェーズⅢでは、「トータルでのCO2［二酸化炭素］フリー水素供給システムの確立」が課題となる。

このうちフェーズⅠの「燃料電池の社会への本格的実装」は、着実に進行している。今後の加

速度的な努力の傾注によって、フェーズⅠの目標達成は可能だと考える。

問題は、フェーズⅡの「水素発電の本格導入」および「大規模な水素供給システムの確立」である。2030年における家庭用燃料電池（エネファーム）530万台、FCV（燃料電池自動車）80万台というフェーズⅠの普及目標が達成されたとしても、同年の電源構成に占める水素の比率は2％程度、一次エネルギー構成に占める水素の比率は1％程度にとどまると言われる。この規模では、とても「水素社会の到来」とは言えない。水素社会の到来のためには、大規模に水素を使用する水素発電の普及が必要不可欠なわけであるが、その肝心の水素発電への取組みが進んでいない。それこそが、大問題なのである。

消極的な電力業界

水素発電への取組みが停滞している最大の理由は、電力業界が総じて消極的な姿勢をとっている点に求めることができる。そこには、電力市場の自由化が進展しているなかで、現時点ではコストが高い水素発電には着手しにくいという、一般的な事情が存在する。しかし、電力業界には、それだけではかたづけられないいくつかの事情が存在する。

第1は、電力業界にとって水素発電は、低炭素化を実現するうえでの主要な施策にはなっていないという事情である。電力業界が「低炭素化実現の選択肢」として最も重視しているのは、あくまでも原子力発電である。次いで再生可能エネルギー発電も選択肢としてある程度視野に入れているが、水素発電についてはほとんど等閑視しているというのが実情である。使用時にCO2

を排出しないという水素の特徴は、電力業界から見れば、それほど魅力的ではないのである。

第2は、電力業界が水素混焼を、石炭火力発電の生き残り策として、あまり重視していないという事情である。低炭素化への社会的圧力が強まる状況下で石炭火力発電を継続していくためには、バイオマス混焼・アンモニア混焼・水素混焼などの措置を講じて、CO2排出量を多少なりとも削減しなければならない。これらのうち電力業界が最も活用しているのはバイオマス混焼であり、アンモニア混焼についても実機での試運転が始まっている。一方、石炭火力発電での水素混焼の動きは、今のところ、顕在化していない。

これらの事情が重なって、電力業界は、水素発電に関して消極的な姿勢をとり続けている。そのため、14年の「水素・燃料電池戦略ロードマップ」のフェーズⅡについては、実現の見通しが立っていないのである。

メタネーションへの注目

それでは水素発電のほかに、「大規模な水素供給システムの確立」と結びつくような水素の大規模利活用策は存在するだろうか。その可能性を有しているのは、水素とCO2から都市ガスの主成分であるメタンガスを作り出すメタネーションである。

メタネーションを初めて本格的に取り上げたのは、17年の「水素基本戦略」である。また、18年に閣議決定された「第5次エネルギー基本計画」も、合成ガス（メタン）への転換という表現で、メタネーションの可能性に言及した。

「水素基本戦略」は、「CO2フリー水素を用いたメタネーションの検討」という項を設け、「水素は、CO2と合成することでメタン化することが可能（メタネーション）であり、（中略）①国内における既存のエネルギー供給インフラ（都市ガス導管やLNG〔液化天然ガス〕火力発電所等）の活用や、②熱利用の低炭素化の観点から、エネルギーキャリアとして大きなポテンシャルを有する」と述べている。一方で、同戦略は、メタネーションが成功裏に遂行されるためには、

(1) 大量かつ安価にCO2フリー水素が調達可能であること、
(2) 近隣に大規模なCO2排出源が存在すること、
(3) 既存のLNGインフラが利用可能なこと、
(4) その他の追加コストを含めサプライチェーン全体でのコストを抑制すること、

などの条件が求められるとも指摘している(注43)。これらを満たすことはけっして容易なことではないが、現在の日本にとって、メタネーションに真剣に取り組むことも、水素社会を真に実現するうえでは重要なオプションの一つとなるであろう。

エッセイ⑰と**エッセイ㊳**では、主として水素をいかに使うかについて論じた。これに対して、最後

（注43） 以上の点については、前掲『水素基本戦略』、20頁参照。

に紹介する**エッセイ㊴**では、水素をいかに調達するかに目を向けている。

《エッセイ㊴》世界初の国際間水素サプライチェーン：ブルネイの水素化プラント

2020年7月6日発信

2020年の2月、ブルネイ・ダルサラーム国（ブルネイ）の水素化プラントを見学する機会を得た。19年11月に竣工した同プラントで製造された水素は、有機ケミカルハイドライド法を用いて、トルエンと混ぜMCH（メチルシクロヘキサン）にして常温・常圧下で日本に海上輸送され、つい最近完成した神奈川県川崎市臨海部の脱水素プラントで水素に戻して、隣接する東亜石油での水素発電等に使用される。この壮大なプロジェクトは、NEDO（国立研究開発法人新エネルギー・産業技術総合開発機構）の「国際間水素サプライチェーン実証事業」として取り組まれているが、この種のものとしては世界初の試みであり、日本の水素利活用戦略全体にとっても、貴重な突破口となる位置づけを与えられている。

この実証事業の実施主体として結成された次世代水素エネルギーチェーン技術研究組合

（Advanced Hydrogen Energy Chain Association for Technology Development：ＡＨＥＡＤ）に参加するのは、千代田化工建設・三菱商事・三井物産・日本郵船の4社。コア技術である有機ケミカルハイドライド法を開発したのは、千代田化工建設だ。

千代田化工建設にとってブルネイと川崎を結ぶ国際間水素サプライチェーンの構築は、同社が力を入れる「ＳＰＥＲＡ水素」事業の本格的な第一歩に当たる。ＳＰＥＲＡとは、ラテン語で「希望せよ」という意味をもつ言葉である。この水素技術によって世界中の人々により良い未来を希望してもらいたい、という想いを込めたネーミングだ。

真冬の成田空港からロイヤルブルネイ航空の直行便で6時間余りをかけて、気温30℃超のブルネイ国際空港に降り立った。ブルネイは、ボルネオ島（カリマンタン島）北部に位置する人口40万人ほどの小国である。一方で、日本向けの天然ガス輸出などで「世界一豊かな国」と呼ばれることも多い。

首都バンダルスリブガワンから南西へ車で1時間ほど走ったスンガイリアンに、ＡＨＥＡＤの水素化プラントは立地する。隣村のルミットにあるブルネイＬＮＧ（ＢＬＮＧ、ＬＮＧは液化天然ガス）からパイプラインでオフガスの供給を受け、三菱化工機製の水素リファーマーなどを使って、水素を製造している。年間の水素製造能力は、２１０トンだ。

製造された水素は、ＡＨＥＡＤのプラントでトルエンと混ぜられ、ＭＣＨとなる。そのＭＣＨは、ＩＳＯタンク（国際標準化機構の基準をクリアした20フィートコンテナ）に収納され、トレーラーで、ブルネイ東端のムアラ港へ約90キロメートル陸送される。

ムアラ港からMCHを収納して約5000キロメートル離れた川崎へ船で運ばれたISOタンクは、帰路にはトルエンを積んで戻ってくる。AHEADはこのISOタンクを65基有しているが、水素化プラントを訪れたとき、たまたまそのうちの1基を目の当たりにすることができた。コンテナの側面には、NEDOとAHEADのロゴが刻まれていた。

2017年の設計時点からAHEADの水素化プラントの運営をおもに担当するのは、千代田化工建設だ。見学した時点で、同プラントには、16人の日本人と10人のブルネイ人が働いていた。安全確保とデータ分析についてそれぞれブルネイ人の女性職員に説明していただいたが、世界初の国際間水素サプライチェーンの一翼を担うことに関して、強い誇りをもたれていることが印象的だった。

NEADの実証事業であるため、水素化プラントの運転は、1年ほどで停止されると聞いた。率直に言って、「もったいない」と思う。同プラントに対するブルネイ国民の関心は高く、期待は大きい。バンダルスリブガワンの街に水素ステーションを作り、燃料電池バスを走らすなどして、水素化プラントを将来にわたり活用する手立てはないものだろうか。

水素化プラントからの帰路、2カ所に寄り道した。

一つは、ロイヤル・ダッチ・シェルのブルネイでの事業開始90周年を祝うモニュメントだ。水素化プラントの西方に位置するセリアには、瀟洒な住宅や整ったインフラ施設が並ぶロイヤル・

ダッチ・シェルの「コロニー」が展開する。１９２８年にブルネイで油田の掘削を始めた同社は、今も、油田の開発と製油所の運転を続けている。海に面した立派なモニュメントからは、ブルネイを資源大国に押し上げる基盤を支えてきたスーパーメジャーの矜持が感じられた。

もう一つは、門の外から見たブルネイＬＮＧの輸出基地である。あわせて、近くの海岸からは、パイプラインで結ばれた4・5キロメートル沖合のジェティ（桟橋）も遠望することができた。ちょうどＬＮＧ船も、着桟していた。

世界的に「ＬＮＧの時代」を切り拓くことになった東京ガス・東京電力のアラスカからのＬＮＧ導入が実現したのは、１９６９年のことである。東京ガスは、アラスカ・プロジェクトに続く第二弾として、ブルネイ・プロジェクトに取り組んだ。69年9月、東京ガス・大阪ガス・東京電力の3社はシェル・ペトローリアム・エヌ・ヴェー社および三菱商事と合意書を交わし、それをふまえて70年6月にＬＮＧ売買契約を締結した。72年12月、ブルネイ・プロジェクトの第1船として「ガディニア号」が泉北工場専用栈橋に着船し、ここに大阪ガスのＬＮＧ利用が始まった。アラスカ・プロジェクトで輸出元となったＬＮＧ基地は、現在、使われていない。したがって、今も活躍するブルネイＬＮＧの基地は、日本向けの最古の輸出基地ということになる。

今回の見学を通じて、ブルネイが日本にとっていかに大切な国であるかが、よく理解できた。両国の新たな絆となった国際間水素サプライチェーンが短期に役割を終了することなく、長期にわたって活躍を続けることを心から期待する。

【10年後の状況と今後の展望】

［水素活用の意義］

そもそも水素活用には、どのような意義があるのだろうか。それは、次の5点にまとめることができる。

第1は、水素が、使用時に二酸化炭素を排出しない、地球にやさしいエネルギー源だという点である。ただし、これはあくまで使用時に限ってのことであって、製造時に化石燃料を使用すれば、水素のこのメリットは損なわれる。したがって、水素の環境特性がフルに発揮されるのは、再生可能エネルギーを使って水素を製造した場合だということになる。

第2は、水素を燃料電池として使う場合、電気化学反応で電気を発生させるためエネルギー効率がきわめて高く、省エネの切り札となる点である。一般電気事業者による通常の発電の場合には、おおまかに言って、約半分のエネルギーが無駄になる。燃料電池による発電は、このエネルギーロスを大幅に解消する。また、家庭用・ビル用の定置型燃料電池は、熱と電気をあわせて供給するため、この面でも、省エネ効果が大きい。

第3は、燃料電池自動車や定置型燃料電池が、直下型地震等の有事の際に緊急のエネルギー供給源となり、いのちと暮らしを守る武器となる点である。燃料電池の普及は、防災機能を向上させることにつながる。

第4は、水素は、いろいろな方法で作ることができ、エネルギー源としてだけでなくエネルギーの運搬手段としても使うことができるため、他のエネルギー源と組み合わせれば、他のエネルギー源の弱点を補い、それらのメリットを引き出す役割をはたしうる点である。ある意味では、この「エネルギー構造全体を変えるポテンシャル」こそ、水素活用の最大の魅力だと言える。

第5は、水素利用技術に関してわが国は世界をリードしており、水素活用が進めば、日本経済全体の活性化と雇用の拡大に貢献できる点である。燃料電池関連技術の国別特許出願数の点で世界トップを占めるのはわが国であり、2位以下を大きく引き離している。水素タンクの製造に関しても、日本メーカーの競争力は高い。水素利用分野は、地熱発電分野などとともに、わが国企業が競争優位を確保しているのである。

［エネルギー構造全体を変えるポテンシャル］

ここでとくに注目したいのは、上記の水素活用の「第4の意義」、つまり「エネルギー構造全体を変えるポテンシャル」である。水素は、「他のエネルギー源と組み合わせれば、他のエネルギー源の弱点を補い、それらのメリットを引き出す役割をはたしうる」のである。

この点に関して、「山を動かす」起点となった２０１４（平成26）年策定の第４次エネルギー基本計画は、以下のように述べている。

「水素の供給については、当面、副生水素の活用、天然ガスやナフサ等の化石燃料の改質等によって対応されることになるが、水素の本格的な利活用のためには、水素をより安価で大量に調達することが必要になる。

そのため、海外の未利用の褐炭や原油随伴ガスを水素化し、国内に輸送することや、さらに、将来的には国内外の太陽光、風力、バイオマス等の再生可能エネルギーを活用して水素を製造することなども重要となる。具体的には、水素輸送船や有機ハイドライド、アンモニア等の化学物質や液化水素への変換を含む先端技術等による水素の大量貯蔵・長距離輸送など、水素の製造から貯蔵・輸送に関わる技術開発等を今から着実に進めていく。また、太陽光を用いて水から水素を製造する光触媒技術・人工光合成などの中長期的な技術開発については、これらのエネルギー供給源としての位置付けや経済合理性等を総合的かつ不断に評価しつつ、技術開発を含めて必要な取組を行う(注44)」。

ここで言及されている具体的な諸施策のうち、「太陽光、風力、バイオマス等の再生可能エネルギーを活用して水素を製造すること」に該当するのが、**エッセイ⑰**で取り上げたパワー・トゥー・ガスである。**エッセイ㊴**で注目したブルネイと川崎を結ぶ国際間水素サプライチェーンは、「有機ハイドライド」法を使った「先端技術等による水素の大量貯蔵・長距離輸送」の先駆けとしての意味をもつ。

[水素活用の課題]

ただし、水素活用にはいくつかの課題が残されていることも事実である。

最大の課題は、コストを切り下げることである。どんなに素晴らしいエネルギー源でもコストが高い限り、普及にはいたらない。コスト低減の王道は技術革新であるが、それ以外にも、①コストが低い他のエネルギー源と組み合わせて水素を使い、水素のメリットを活かすようにして、全体としてのコスト・パフォーマンスを高める、②当面は相対的に低コストの副生水素（その生産過程では化石燃料を使用することが多い）を用いて水素供給インフラを整え、水素利用の量産効果を引き出してコストを低減させてから、再生可能エネルギー由来の「グリーン水素」の使用量を増大させる、などの工夫も必要であろう。

もう一つの課題は、住民が参加して地域ごとに水素社会をつくる仕組みを構築することである。そのためには、安全確保面や税金負担面などで住民の合意が形成されるようなプロセスが求められることは、言うまでもない。世界的にみても、分散型エネルギー供給に資する水素の活用は、地域ごとに進められることが多い。地域に立脚した水素社会づくりには、住民参加が不可欠の要素なのである。

［水素と石炭との組み合わせ］

水素活用のうえでの二つの課題を指摘したが、なんと言っても、「最大の課題は、コストを切り下げることである」。そのために①②の方策を提示したが、それぞれについて、少し説明を加えておこ

（注44）前掲『エネルギー基本計画』、2014年4月、61頁。

う。

まず、①の「コストが低い他のエネルギー源と組み合わせて水素を使い、水素のメリットを活かすようにして、全体としてのコスト・パフォーマンスを高める」方策については、具体的に、どのような打ち手があるのだろうか。

「高いが環境特性に優れる」水素は、「安いが環境特性が劣る」石炭と組み合わせると、相互補完的な効果が発揮される。川崎重工業やJ―POWERが事業化をめざしている褐炭由来のCO2フリー水素チェーンのプロジェクトは、その具体的な事例の一つである(注45)。褐炭由来のCO2フリー水素チェーンとは、オーストラリアのビクトリア州で褐炭ガス化水素製造装置を稼働させ、現地でCCS（二酸化炭素回収・貯留）を行うとともに、積荷基地から水素を液化して専用の水素輸送船で日本の揚荷基地に運搬し、わが国において水素発電、水素自動車などの形で活用しようとするものである（第4次エネルギー基本計画が言及した「液化水素への変換」による「先端技術等による水素の大量貯蔵・長距離輸送」に該当する）。この水素チェーンが実現すれば、CCSの本格的実施と水素利用の活発化によって、地球環境の維持に大きく貢献することになるが、効果はそれだけにとどまらない。オーストラリアにとっては（とくに同国内のニューサウスウェールズ州やクイーンズランド州に比べて高品位炭に恵まれていないビクトリア州にとっては）、褐炭ガス化水素製造装置から副生されるアンモニアや尿素を活用して化学工業や肥料製造業を振興させることができれば、念願の褐炭（低品位炭）の有効利用を達成できる。一方、日本にとっては、本書の第9章で詳述するような、「二国間クレジット制度」を拡張した方式で、CCSに協力し国内で水素発電を行う事業者には、同時に最新鋭石炭火力発電所の新増設をある程度認めるというシステムを導入するならば、日本経済にとって大きな脅威となりうる発電用燃料コストの膨脹を抑制できる。このように褐炭由来CO2フリー水素チェーンの構築は、二重三重に有意義なプロジェクトなのである。

[メタネーションへの注目]

次に、②の「水素供給インフラを整え、水素利用の量産効果を引き出してコストを低減させる」ためには、何が必要だろうか。水素供給インフラの整備は、水素の大量使用と表裏一体の関係にある。水素・燃料電池戦略ロードマップのフェーズⅡの見立てから明らかなように、政府が今のところ「水素の大量使用」の切り札として想定しているのは、水素発電である。そのような事情をふまえるならば、**エッセイ㊳**で指摘した、電力業界の消極的な姿勢により水素発電拡大のめどが立たないという現実は、大問題だと言わざるをえない。

水素発電に代わる水素の大量使用策はあるだろうか。そう考えたとき、代替策として浮かび上がるのが、**エッセイ㊳**で言及したメタネーションである。

メタネーションの世界的な先駆的事例として知られているのは、アウディ社のe-gasプラントで

（注45） 以下の記述については、橘川武郎「CO2フリー水素チェーン」『電気新聞』、2013年7月17日付、参照。

ある。ドイツ・ブレーメンから車で約1時間のヴェルルテにある同プラントは、筆者が訪れた18年8月時点で6年間にわたって、順調に運転を続けていた。稼働率は50％に近い水準で、バイオガスのアミン洗浄装置と水の電気分解装置を併設している。バイオガスの成分は、おおむねメタンガスが60％、CO2が40％で、CO2を分離したあとのメタンガスは近くに敷設されているガス導管に注入される。一方、分離されたCO2は電気分解で得られた水素とともにメタネーションプラントに送られ、そこで合成されたメタンガスもガス導管に導かれる。水素が余った場合は、トレーラーで陸送され、市場で販売される。もちろん、メタネーションにはコスト低減などの課題も多い。e-gasプラントも、CNG車（圧縮天然ガス車）の販促策の一環として、アウディ社が資金面で相当の支援をしているから成り立っているのが実情だ。しかし、低炭素社会の到来が不可避である以上、日本でも、水素社会を牽引するメタネーションの時代が確実に始まろうとしている。(注46)

（注46）以上の点については、橘川武郎「メタネーションの時代へ」『ガスエネルギー新聞』、2019年1月1日付、参照。

第9章　地球温暖化対策

【事実経過】

東京電力・福島第一原子力発電所事故が起きた２０１１（平成23）年は、京都議定書が設定した第一約束期間（２００８～１２年）のさなかであった。(注47) 京都議定書は、１９９７年に京都で開催された気候変動枠組条約第３回締約国会議（ＣＯＰ３。以下、この締約国会議を「ＣＯＰ」と表記する）で採択されたものであり、気候変動枠組条約は、地球温暖化防止のための国際的な枠組みである。

日本は、京都議定書の第一約束期間において、温室効果ガス（中心はＣＯ２＝二酸化炭素）の排出量を基準年（１９９０年）に比べて6％削減することを義務づけられていた。結果的には、第一約束期間の日本の温室効果ガスの総排出量は5ヵ年平均で12億７８００万トン ＣＯ２となり、基準年比

（注47） 以下の記述については、環境省『令和２年版環境白書・循環型社会白書・生物多様性白書』、２０２０年、１５２―１５３頁参照。

６％減という削減目標は達成された。

京都議定書の第二約束期間は、２０１３～２０年に設定された。「しかし、米国の不参加や近年の新興国の排出増加等により、京都議定書締約国のうち、第一約束期間で排出削減義務を負う国の排出量は世界の４分の１にすぎないことなどから我が国は議定書の締約国であるものの、第二約束期間には参加せず、全ての主要排出国が参加する新たな枠組みの構築を目指して国際交渉が進められ」(注48)た。

この新たな枠組みの構築をめざす国際交渉は、15年にパリで開催されたＣＯＰ21における「パリ協定」の採択という形で結実した。このパリ協定について、環境省『令和２年版環境白書・循環型社会白書・生物多様性白書』（２０２０年）は、以下のように説明している。

「パリ協定においては、世界共通の長期目標として、産業革命前からの地球の平均気温上昇を２℃より十分下方に抑えるとともに、１.５℃に抑える努力をすることなどが設定されました。また、主要排出国を含む全ての国が削減目標を5年ごとに提出・更新することが義務付けられるとともに、その目標は従前の目標からの前進を示すことが規定され、加えて、5年ごとに協定の世界全体としての実施状況の検討（グローバルストックテイク）を行うこと、各国が共通かつ柔軟な方法でその実施状況を報告し、レビューを受けることなどが規定されました。そのほか、２国間クレジット制度（ＪＣＭ）を含む市場メカニズムの活用、森林等の吸収源の保全・強化の重要性、途上国の森林減少・劣化からの排出を抑制する取組の奨励、適応に関する世界全体の目標設定及び各国の適応計画作成過程と行動の実施、先進国が引き続き資金を提供することと並んで途上国も自主的に資金を提供することなどが盛り込まれました」[注49]。

日本は、COP21において、2030年までに2013年比で温室効果ガスを26％削減するという目標を打ち出した。パリ協定は16年11月に発効し、わが国も同月にその締約国となった。

なお、上記の説明中に登場する「二国間クレジット制度（JCM）」は、ある国が別の国と協力して温室効果ガスの削減に取り組み、削減の成果を両国で分け合う制度であり、JCMは、Joint Crediting Mechanism の略記である。この制度によれば、日本から発展途上国等へ低炭素化に資する技術・製品・システム・サービス・インフラなどを移転して温室効果ガス排出量の削減を実現した場合、わが国の貢献分を定量的に評価して、それを日本の削減目標の達成に活用できるわけである。

【7編のエッセイ】

この章では、地球温暖化対策にかかわる7編のエッセイを紹介する。最初に取り上げる**エッセイ⓭**は、2017（平成29）年に就任したアメリカのトランプ大統領が、パリ協定から離脱しようとしていることを、問題にしている。

（注48） 同前152頁。
（注49） 同前153頁。

《エッセイ⑬》トランプ新大統領とエネルギー・環境政策への影響

２０１７年２月６日発信

２０１７年1月、ドナルド・トランプが、第45代アメリカ大統領に就任した。トランプ大統領の登場は、エネルギー・環境政策にどのような影響を及ぼすだろうか。本稿では、二つの論点を掘り下げたい。

一つ目は、地球温暖化対策に対する国際的枠組みであるパリ協定へのネガティブな影響である。15年12月にＣＯＰ21（気候変動枠組条約第21回締約国会議）で締結されたパリ協定は、大方の予想より早く、16年11月に発効した。しかし、中国と並ぶ２大温室効果ガス排出国であるアメリカで、地球温暖化自体に懐疑的な政権が誕生したことで、パリ協定遂行の勢いはそがれることになる。パリ協定からのアメリカの離脱は、協定の規定上、すぐには起こらない見通しではあるが、温暖化対策に積極的だったバラク・オバマ前大統領から温暖化対策に消極的なトランプ新大統領への「１８０度の転換」は、パリ協定締結以降高まりをみせる地球温暖化対策の動きに水を差すことは間違いあるまい。

ただし、ここで注意を要するのは、オバマ前大統領の積極的に見えた地球温暖化対策も、じつは、アメリカでのエネルギーをめぐる市場原理を反映したものに過ぎなかったという、冷厳な事実である。２０００年代中葉からシェールガス革命が進行したアメリカでは、天然ガス価格が低下し、天然ガス価格が石炭価格を恒常的に下回るという、他国・他地域では見られない例外的な現象が定着した。この現象を受けて、火力発電所等で石炭から天然ガスへの燃料転換が起こり、結果として、二酸化炭素を中心とする温室効果ガスの排出係数は低下した。オバマのいわゆる「グリーン・ニューディール」は、自らの政策の成果というより、この市場の変化の恩恵と見なした方が、正確であろう。

そうであるとすれば、トランプもまた、アメリカでのエネルギーをめぐる市場原理から自由でありえるはずがない。トランプがいくら「石炭の復活」を唱えても、シェールガス革命が継続し、天然ガス価格が石炭価格を下回り続ける限り、石炭復活の効果には限界がある。つまり、アメリカの温室効果ガスの排出係数は低下傾向を維持する可能性が強く、トランプがどんなにパリ協定を攻撃したとしても、地球温暖化対策を重視する世界の流れに、アメリカが結果として乗り続けることになるかもしれない。パリ協定が、各国が独自に目標を掲げ、その達成具合を国際的にチェックする「プレッジ・アンド・レビュー」方式をとっていることも考え合わせれば、全体的に見て、トランプ大統領の登場によってパリ協定が受けるダメージは、限られたものにとどまるだろう。

二つ目は、米露関係の変化が日露間のエネルギー問題に及ぼす大きな影響である。

16年12月のウラジミール・プーチン大統領の来日に際して、事前には、北方領土問題や日露エネルギー協力問題に関して、大きな前進があるのではとの期待が高まっていた。オバマ大統領がリーダーシップを発揮し、日本を含むＧ７諸国が参加したウクライナ問題での対露制裁に風穴をあけるため、ロシアのプーチン大統領としては、Ｇ７諸国のなかで相対的にロシアに近い姿勢をとってきた日本に歩み寄りを見せる必要があったからである。このロシアによる「日本カード」の活用は、16年11月のアメリカ大統領選挙で、メディアの予想どおり、ヒラリー・クリントン候補が勝利するという見立てにもとづくものであった。ヒラリー・クリントン大統領が誕生すれば、対露制裁は継続し、「日本カード」が意味をもつ…そうなるはずであった。ところが、現実には、大統領選挙で勝ったのはヒラリー・クリントンではなく、トランプであった。トランプは、政治家としてのプーチンをきわめて高く評価しており、トランプ大統領の登場によって、米露関係が劇的に好転し、対露制裁も解除ないし緩和される可能性が出てきた。そうなれば、ロシアにとって、「日本カード」の意味は低下する。プーチンとしても、領土問題やエネルギー協力問題で、日本に「譲歩」する必要はなくなる。このような状況変化を受けて行われた16年12月のプーチン来日では、日本は、ロシアから目に見える成果を引き出すことができなかったのである。

想定されていた日露エネルギー協力には、ロシアの国営石油会社株式の一部を日本が保有する、サハリンの天然ガス田と日本のガス需要地とを海底パイプラインで直結する、ロシアの極東地域ないしサハリンと北海道とのあいだに海底送電線を敷設するなど、かなり重要な内容も含まれていた。それらすべてが、トランプ大統領の登場によって、先送りされたのである（そして、立ち消えとなる可能性も強い）。

本稿では、トランプ大統領の登場がエネルギー・環境政策にどのような影響を及ぼすかについて、二つの論点を取り上げてきた。このほかにも、18年に迫る日米原子力協定の改定に関してトランプ大統領がいかなる方針で臨むかなど、重要な論点がいくつか存在する。それらについては、別の機会に論じることにしたい。

その後トランプ大統領は、17年6月にパリ協定から離脱すると宣言した。アメリカ政府は19年11月に離脱を正式に通告し、20年11月にはアメリカのパリ協定からの離脱が確定する。なお、トランプ大統領は、18年7月の日米原子力協定の満期時に特別なアクションは起こさず、同協定は自動延長となった。

17年5月に発信した**エッセイ⓮**は、パリ協定にも盛り込まれた二国間クレジット制度を高効率石炭火力発電の技術移転に適用すれば、CO2排出量を世界的規模で減らすことができ、地球温暖化対策として効果的であると論じている。一方で、国内での石炭火力新設計画は、当初想定されているより抑制されたものになると見込んでいる。

《エッセイ⑭》　二国間クレジットと石炭火力発電のゆくえ

２０１７年５月15日発信

２０１５年11月から12月にかけてパリで開催されたＣＯＰ21（国連気候変動枠組条約第21回締約国会議）は、２０２０年以降の地球温暖化対策の国際的枠組みを決定し、成功裡に幕を閉じた。とくに、ＣＯＰ３で決めた京都議定書の枠組みからは離脱した中国（温室効果ガスの最大排出国）とアメリカ（同じく2番目の排出国）が新枠組みの設定にリーダーシップを発揮したこと、枠組み参加国が先進国のみならず新興国を含めて世界大に広がったこと、国別目標の強制方式ではなく日本が長く主張してきたプレッジ・アンド・レビュー方式（各国が自ら取り組む目標を国際的に約束し、その達成度合いを国際社会が評価・検証する仕組み）が採用されたこと、同じく日本が強く提唱してきた二国間オフセット・クレジット制度(注50)（JCM/BOCM：Joint Crediting Mechanism/Bilateral Offset Credit Mechanism）が一応組上に載ったことなどは、高く評価することができる。

なかでも、二国間オフセット・クレジット制度が俎上に載ったことの意義は大きい。国際的に見て中心的な電源である石炭火力発電の熱効率に関して、日本は、世界トップクラスの実績をあげており、したがって、日本の石炭火力発電所でのベストプラクティス（最も効率的な発電方式）が諸外国に普及すれば、それだけで、世界のCO2（二酸化炭素）排出量は大幅に減少することになるからである。

資源エネルギー庁の試算によれば、中国・アメリカ・インドの3国に日本の石炭火力発電のベストプラクティスを普及するだけで、CO2排出量は年間15億2300万トンも削減される。[注51] この削減量は、13年度の日本の温室効果ガス排出量14億800万トンの108％に相当する。日本政府は、2030年度に温室効果ガス排出量を13年度比で26％削減するという目標を掲げて、COP21に臨んだ。しかし、わが国の石炭火力のベストプラクティス（最高効率）を中米印3国に普及しさえすれば、今回政府が打ち出した「13年度比26％削減目標」の4・2倍の温室効果ガス排出量削減効果を、2030年を待たずして、すぐにでも実現できるわけである。

ここで指摘しておくべき点は、日本でよく聞かれる「高効率石炭火力技術の輸出には賛成だが、国内での石炭火力建設には反対だ」という議論が、成り立たないことである。日本国内で石炭火力開発が行われるからこそ、技術革新が進展し、高効率発電技術が磨かれる。石炭のほぼ全量を輸入するわが国では、その分割高となる燃料コストを少しでも削減しようとして、燃焼効率改善の技術革新が進む。世界最高水準の高効率石炭火力技術は、燃料コスト削減のインセンティ

（注50）「二国間オフセット・クレジット制度」は、「二国間クレジット制度」と同義である。
（注51）資源エネルギー庁「火力発電における論点」、2015年3月、15頁参照。

ブが最も強く作用する日本の地であるからこそ、開発が進展するのだ。

ただし、全体として見れば、ＣＯＰ21において、石炭火力について厳しい評価が下されたことも見落とすべきではない。16年に電力小売全面自由化が実施されたこともあって、現在の日本では、低廉な電気を供給する大型電源を求めて、約１７００万キロワットもの石炭火力新設計画がひしめき合っている。これらをすべて認めてしまっては、日本の地球温暖化対策が根底的に破たんしてしまうことは、誰の目にも明らかである。筆者の私見によれば、２０３０年度までに求められる石炭火力の出力増加は、多めに見積もっても、５００万キロワット程度だろう。何らかの施策を講じて、１７００万キロワットを５００万キロワットに絞り込まなければならないわけである。

その施策として、環境省はアセスメントの強化を、経済産業省は省エネ法およびエネルギー供給高度化法の適用を、それぞれ想定している。しかし、これらは、いずれも不十分である。絞り込みの施策としては、高効率石炭火力技術を輸出して海外でＣＯ２排出量を大規模に減らした事業者にのみ、国内での石炭火力の建設を認めるという手法を採用する必要がある。その場合でも、国内のＣＯ２排出量は増加することになる。ただし、その増加規模より海外での削減量の方が上回るから、この手法は、意味をもつ。ここでは、われわれが直面しているのは「日本環境問題」ではなく、「地球環境問題」であることを想起せねばならない。

現在の日本では、石炭火力の建設に環境リスクがつきまとうだけではない。再生可能エネルギー電源の拡大によって、ゴールデンウィーク等にベースロード電源でさえも稼働調整の対象となる事態が生じれば、石炭火力の出力調整という経済リスクをともなうシナリオも起こりうる。そうなれば、ベースロード電源としては、ミドル運用もでき、出力調整能力が高いLNG（液化天然ガス）火力を選択した方が賢明だという、判断も生まれるだろう。いずれにしても、大型石炭火力建設プロジェクトの先行きに不透明感が残ることは、間違いない。

18年2月に発信した**エッセイ⑲**は、15年の長期エネルギー需給見通し（18年の第5次エネルギー基本計画で追認）と16年の地球温暖化対策計画という、二つの閣議決定のあいだには明らかな矛盾があると指摘している。矛盾を解消するためには地球温暖化対策を国際的視点に立って推進するしかないというのが、このエッセイの主張である。

《エッセイ⑲》 温室効果ガス80％削減は国際的対策で

２０１８年2月12日発信

わが国の長期的な環境・エネルギー政策をめぐっては、二つの閣議決定が現存する。一つは

2015年に経済産業省主導で決定された2030年の長期エネルギー需給見通し（18年の第5次エネルギー基本計画で追認）であり、もう一つは16年に環境省主導で決定された2050年までに温室効果ガスの80％削減をめざす地球温暖化対策計画である。問題は、これら二つの閣議決定が明らかに矛盾していることにある。

長期エネルギー需給見通しは、2030年の日本における電源構成を、原子力発電20～22％、再生可能エネルギー（水力を含む）発電22～24％、火力発電56％と見込んだ。一方、地球温暖化対策計画が掲げるように、2050年までに温室効果ガスを80％削減するのであれば、その時の電源は、ほとんどすべてをいわゆる「ゼロエミッション電源」としなければならない。温室効果ガス（その大半は二酸化炭素＝CO2）排出量ゼロのゼロエミッション電源は、原子力発電、再生可能エネルギー発電、CCS（二酸化炭素回収・貯留）付き火力発電の三つからなる。2030年に20～22％という目標を達成することさえ困難視される原子力発電は、2050年には電源構成に占める比率を低下させている可能性が高い。再生可能エネルギー発電は比率を高めているだろうが、全体をカバーするまでには到底いたっていないであろう。そうだとすれば、2050年の電源構成において、CCS付き火力発電は、相当の比率を占めることになる。ところが、2030年に56％を占めると見込んだ火力発電へのCCSの装備について、長期エネルギー需給見通しは、具体的な施策をまったく打ち出していない。このように、二つの閣議決定、つまり長期エネルギー需給見通しを追認した第5次エネルギー基本計画と地球温暖化計画とは、明らかに矛盾しているのである。

この矛盾を解決するにはどうすればよいだろうか。

地球温暖化対策計画の基準年である13年度の日本の温室効果ガス排出量は約14億トンである。それを80％削減するということは11・2億トン減らすことであり、50年時点での温室効果ガス排出許容量は2・8億トンにとどまる。

17年4月にまとめられた経産省の長期地球温暖化対策プラットフォーム・「国内投資拡大タスクフォース」の最終整理によれば、製品や作物の生産に付随して不可避の温室効果ガス排出量は、4億トンである。仮に、17年時点の技術を前提にして、80％削減目標を国内対策のみで実施するとすれば、「農林水産業と2～3の産業しか国内で許容されない」。つまり、国内対策ではなく国際的対策に頼るしかないわけである。(注52)

われわれが直面するのは「日本環境問題」ではなく「地球環境問題」であるから、国際的対策は意味をもつ。国際的対策として「切り札」になるのは、日本の高効率石炭火力発電技術の海外移転である。国際エネルギー機関の16年のデータにもとづく試算によれば、中国・アメリカ・インドの3国に日本の石炭火力発電のベストプラクティスを普及するだけで、CO2排出量は年間11・7億トンも削減される。(注53)この削減量は、13年度の日本の温室効果ガス排出量の83％に相当す

(注52) 以上の点については、長期地球温暖化対策プラットフォーム「国内投資拡大タスクフォース」「長期地球温暖化対策プラットフォーム『国内投資拡大タスクフォース』最終整理」、2017年4月26日、2頁参照。

る。

ここで指摘しておくべき点は、（中略）世界最高水準の高効率石炭火力技術は、燃料コスト削減のインセンティブが最も強く作用する日本の地であるからこそ、開発が進展することだ。わが国は、「石炭火力の世界的Ｒ＆Ｄセンター」だと言える。

このほか、日本の鉄鋼業界が推進する省エネ技術の海外移転によりＣＯ２排出量を減らすセクター別アプローチや、化学業界が取り組む原料採取から最終消費・廃棄までの全過程でＣＯ２排出量を抑制するライフサイクルアセスメント（ＬＣＡ）も、国際的対策として威力を発揮する。発電事業や製鉄業・化学工業はＣＯ２排出量が多く、「温暖化の元凶」と見なされてきたが、むしろこれらの業種こそ、温暖化を抑える国際的対策の「救世主」となりうるのだ。

これらの国際的対策は、二つの閣議決定間の矛盾も解決する。政府は、発電・製鉄・化学業界と連携し、２０５０年までに温室効果ガス排出量を11・２億トン削減する具体的プランを、直ちに策定すべきだ。

エッセイ⓳で強調した温室効果ガス排出量削減の国際的対策のなかで大きな役割をはたすのは、ＣＣＳである。ＣＣＳに取り組むうえで経済性を確保することは避けて通れない重要な課題であるが、どうすればその課題をクリアできるのか。次に掲げる**エッセイ㉔**は、この問いに答えようとしたものである。

《エッセイ㉔》CCS（二酸化炭素回収・貯留）&EOR（石油増進回収）とアンモニア

２０１９年２月25日発信

２０１８年の11月、アメリカ南部のＣＣＳ（二酸化炭素回収・貯留）&ＥＯＲ（石油増進回収）事業とアンモニア関連事業を見学する機会があった。訪れたのは、ルイジアナ州ガイスナーにあるニュートリエン社の肥料工場と、テキサス州トンプソンズにあるペトラ・ノヴァ・パリッシュ社のＣＣＳ&ＥＯＲ施設、およびテキサス州フリーポートにあるヤラ社とＢＡＳＦ社との合弁アンモニアプラントである。

ＣＣＳは、二酸化炭素（ＣＯ２）を回収して海底などに貯留するものであり、火力発電所等の地球温暖化対策の切り札とされるものである。ＥＯＲは、産出量が減衰した油田にＣＯ２や水を注入して、産出量を回復させる方法である。ＣＣＳの経済性を確保するためには、ＥＯＲと結びつけＣＣＳ&ＥＯＲ方式をとることが効果的である。

（注53）電源開発㈱（Ｊ—ＰＯＷＥＲ）ホームページ「もっと知ってほしい石炭火力発電　日本の石炭火力発電所はクリーン」参照。https://www.jpower.co.jp/bs/karyoku/sekitan/sekitan_q03.html。

最初に訪れたのは、ニュートリエン社の肥料工場である。ニュートリエン社は、肥料業界大手のＰＣＳ社とアグリウム社が合併して18年に誕生した、世界最大の肥料会社だ。

ミシシッピ川の河口より１８７マイルさかのぼった河岸に立地する同社の工場は、水運等のロジスティクスの良さを活かして、窒素系肥料などを生産している。同工場を今回の調査対象にしたのは、アンモニアプラントから発生する年間１００万トンのＣＯ２のうち約半分を回収しているからである。ニュートリエン社の肥料工場では、回収した50万トン／年のＣＯ２のうち20万トン／年を尿素生産用に自家消費し、残りの30万トン／年をデンブリー社のＣＯ２パイプラインに送り出している。送り出されたＣＯ２は、ＥＯＲ等に充当される。ニュートリエン社の工場のほかジャクソンドーム（天然のＣＯ２ドーム）やエアプロダクツ社の工場からもＣＯ２の供給を受けるデンブリー社のＣＯ２パイプラインは、ミシシッピ・ルイジアナ・テキサスの３州をカバーしている。

通常、ＣＣＳ＆ＥＯＲは、火力発電所と結びつけられることが多い。しかし、ニュートリエン社の肥料工場では、ＣＣＳ＆ＥＯＲをアンモニア工場と結びつけている点に、大きな特徴がある。

次に訪れたのは、ペトラ・ノヴァ・パリッシュ社のＣＣＳ＆ＥＯＲ施設である。ペトラ・ノヴァ・パリッシュ社は、アメリカのＮＲＧ社と日本のＪＸ石油開発が折半出資して設立した合弁会社だ。

ペトラ・ノヴァ・パリッシュ社の施設は、大手電力会社であるNRG社のW・A・パリッシュ火力発電所（石炭250万キロワット＋ピーク対応用ガス120万キロワット）の敷地内に立地する。同発電所は、化石燃料焚き発電所としては北米第2の発電能力を有する。ペトラ・ノヴァ・パリッシュ社は16年に操業を開始し、W・A・パリッシュ発電所のなかで唯一スクラバー（排ガス洗浄装置）を擁する8号機（石炭焚き、64万キロワット）の排ガス（24万キロワット相当分）からCO2を回収する。CO2濃度を13％から99％まで上昇させるこのCO2回収装置は世界最大規模であり、年間のCO2回収規模は160万トンに達する。

ペトラ・ノヴァ・パリッシュ社が回収したCO2は、パイプラインで81マイル先のウエストランチ油田へ輸送され、EORに充当される。ウエストランチ油田は1938年に発見され、これまでに3億バレルの原油を生産してきたテキサス湾岸でも有名な油田である。2017年のEOR実施以前は原油生産量が日量300バレル程度まで減衰していたが、EORにより現在では15～20倍の日量4500～6000バレルまで増加している。圧入したCO2は10～30％が地下にとどまる一方、残りは原油とともに産出する。地上に戻ってきたCO2については生産プラント内のコンプレッサーで圧縮してEOR用に再圧入するが、同コンプレッサーのキャパシティが原油生産の律速要因となっており、原油と一緒に産出するCO2をいかに抑えるかが、原油生産量を増やすためのキーポイントとなるそうだ。

最後に訪れたのは、ヤラ社とBASF社との合弁アンモニアプラントである。ヤラ社はノルウェーの肥料会社、BASF社はドイツの化学会社であり、いずれも世界的な大企業だ。

18年に試運転を開始したこの合弁プラントでは、プラックスエア社から水素と窒素の供給を受け、アンモニアを生産する。このうち水素は、主として、近隣のダウ・ケミカル社のナフサクラッカーを発生源とする。使用する電力は、隣接するBASF社のコンプレックスから提供される。

合弁プラントで生産されたアンモニアは、パイプラインを通じて9マイル離れたジェティ（桟橋）まで運ばれ、そこから船で出荷される仕組みである。ジェティの近くには、2基のアンモニアタンクが設置されていた。

アンモニアについては、17年に日本政府が策定した「水素基本戦略」において、エネルギーキャリアとしての活用が謳われている。アンモニアには、①他の水素キャリアと比較して体積水素密度が大きいため、インフラ整備をより小規模で安価に推進できること、②天然ガスから製造できるため比較的安価であること、③既存の商業サプライチェーンを活用できること、などの特長がある。一方で、CCSや再生可能エネルギー利用と組み合わせることによって、製造段階でCO_2フリー化を実現することが求められるなどの課題も存在する。

今回の調査では、CCS&EORが石炭火力発電だけでなく、アンモニア工場についても有効であることが判明した。また、アンモニアインフラの整備には多様な方式がありうることもわかった。これらの事実は、エネルギーキャリアとしてのアンモニアの可能性をさらに大きくするものだと言える。

２０１９年7月に発信した**エッセイ㉕**は、出光興産グループがオーストラリアで経営する大規模炭坑を見学した時の記録である。エッセイの最後に、炭鉱跡地で再生エネルギー発電を行うという、ユニークな構想について紹介している。

《エッセイ㉕》 豪州の炭鉱で進むイノベーションと大胆な跡地利用構想

２０１９年7月22日発信

２０１０年8月、出光興産グループがオーストラリアで開発し経営していた二つの大規模炭鉱を見学する機会があった。クイーンズランド州のエンシャム鉱山と、ニューサウスウェールズ州のボガブライ鉱山とである。

出光興産は19年4月に昭和シェル石油と経営統合し出光昭和シェルとして新発足したが、10年当時も19年以降も石油元売大手である（あった）から、「炭鉱」経営と聞いても、ピンと来ない向きもいらっしゃるだろう。しかし、実際には同社は、世界的な産炭国オーストラリアにおいて年間１１５０万トン（権益ベースの18年実績）の産炭量を誇る立派な石炭企業でもある。

19年５月、出光昭和シェル傘下の出光オーストラリアリソース（ＩＡＲ）が経営するエンシャム鉱山とボガブライ鉱山とを再訪した。10年に初めて訪れた時には、なんと言っても、両炭坑のスケールの大きさに度肝を抜かれたものである。また、露天掘り（オープンカット）と言っても、地下１００メートル近くにあった当時の炭層まで大規模に表土をはがすこと、石炭採掘後にそれらを埋め戻し、地表の植生（ユーカリの森など）まで含めて元の状態に戻す作業を義務づけられていること、などにも驚かされたのを憶えている。

19年の再訪の際、採掘場所が延伸していること、露天掘りで剥ぐ表土が２００メートルまで深くなっていること、採掘後のユーカリの森へのリハビリテーション（原状復帰）が着実に進行していること、などを確認することができた。同時に、９年間で、両鉱山とも大きく姿を変えていることも印象的であった。

エンシャム鉱山では、従来からの露天掘りに加えて、11年に坑内掘り（アンダーグラウンド）が始まっていた。地盤沈下を防ぐため、採掘する炭層の天盤を支える目的で太い柱（ピラー）を残す、「ボード・アンド・ピラー」と呼ばれる独特の採炭法を採用している。地下１５０メートルの現場に行くと、コンテニュアスマイナーとシャトルカーが絶妙のコンビネーションで掘削を続けていた。１台当たりの石炭産出高の点で世界トップ10に食い込む生産効率の良いコンテニュアスマイナーが４台も、エンシャム鉱山で稼働しているそうだ。

一方、ボガブライ鉱山では、15年に選炭設備の新設や鉄道引込線の敷設などの拡充工事が実施されていた。選炭設備の稼働によって、産出する製品の種類が充実し、SSCC（コークス配合用原料炭）やPCI（高炉吹込み用原料炭）の供給が可能になるとともに、一般炭についてもいっそうの含有灰分の低下やカロリーの向上を実現した。これらの製品は付加価値が高く、収益向上にも貢献したと聞いた。

両鉱山で大胆なイノベーションが進展したのは、IARが、日系の海外炭鉱企業としては珍しく、オペレーターをつとめているからでもある。IARグループは、エンシャム鉱山の85％、ボガブライ鉱山の80％の権益を掌握している。このほか、石炭生産が最終局面を迎えているマッセルブルック鉱山（ニューサウスウェールズ州）の100％の権益も有する。

IARは、石炭鉱山を地球温暖化対策のために役立たせるという、大胆で柔軟な「逆転の発想」も実現に移そうとしている。それは、エンシャム鉱山の敷地内にパネルを設置して、自家用電力を太陽光発電でまかなうことを検討しているだけにはとどまらない。生産完了後のマッセルブルック鉱山の跡地に下池を設置し、近隣の丘陵に上池を設けて、25万キロワット級の発電機数基を擁する揚水式水力発電に取り組もうとしている。さらに、将来、エンシャム鉱山が生産を終了した暁には、年間2000万トンの水を供給しうる農業用・森林涵養用の貯水池を作る計画もある。いずれも、石炭鉱山の跡地利用としては、世界初の試みだそうだ。

植物から生まれた石炭を採掘したあとには、新たに植物を育てる貯水池ができる。オーストラリアを舞台にして、壮大な物語がつづられ始めている。

エネルギー企業の多くは、本業を継続する限り、ＣＯ２を排出せざるをえない。天然ガスを生業とする都市ガス会社は、その典型とも言える存在である。しかしながら、日本最大の都市ガス会社である東京ガスは、19年に発表した長期経営ビジョンで、「ＣＯ２ネット・ゼロ」をめざすことを発表した。同社は、それをどのように実現しようとしているのか。この点に光を当てたのが、**エッセイ㉜**である。

《エッセイ㉜》

メキシコでの大規模再生可能エネルギー発電事業：日本のエネルギー企業の「ＣＯ２ネット・ゼロ」への道

２０２０年４月27日発信

東京ガスは、フランスのエネルギー企業エンジーのメキシコ子会社と折半出資で共同持株会社HEOLIS EnTGを設立し、メキシコ各地で６件の再エネ発電事業に取り組もうとしている。それらの合計出力は、なんと太陽光が５７５メガワット、風力が１４６メガワット、総計７２１メガワットに達する（送電端）。

２０２０年1月、それらの一部を見学する機会を得た。今回訪れたのは、トロンペゾン太陽光発電所とトレスメサス風力発電所の2カ所である。

最初に向かったのは、メキシコシティから北へプロペラ機で2時間弱、車で小1時間乗り継いだトレスメサス風力発電所だ。スペイン語で「トレス」は「3」、「メサ」は「机」を意味する。その名のとおり、3峰のテーブルマウンテンが並ぶ上部の高台部分にすでにトレスメサス1～4の4件、メサラパスの1件、合計5件の風力発電プロジェクト（合計出力６００メガワット）が展開する。トレスメサス1～4が立地する高台のメサラサンディアには、見学時にすでに稼働済みの57基のウインドファームが勢いよく稼働しており、その迫力に圧倒された。

東京ガスとエンジーが保有・管理するのは、19年3月に運転開始したトレスメサス3と、見学の2週間後に運転開始予定だったトレスメサス4である。トレスメサス3は3・3メガワット×15基、トレスメサス4は4メガワット×24基のウインドファームを擁する。

何と言っても最も驚いたのは、稼働中のトレスメサス3の設備利用率が51％に達する点だ。日本国内の風力発電の設備稼働率は陸上で20％、洋上で30％がせいぜいと言われるから、そのほぼ2倍に達する高水準だ。テーブルマウンテンでは下部から上部へかけて安定的に風が吹いており、それが高い設備利用率をもたらしていると聞いた。

トレスメサス3は稼働中、トレスメサス4は稼働直前の仕上げの工事が進んでいる最中、という絶好のタイミングだったこともあって、充実した見学となった。ウイングがブンブン回る真下からおそるおそるウインドファームを見上げることもできたし、ナショナルグリッドにつなぐ送電線や変電設備もじっくり観察することができた。運転開始直前のウインドファームのタワーの最下部の部屋では、変圧設備と１～２人乗りのエレベーター、まっすぐ上に伸びる金属製のはしごなどを目の当たりにした。約２００メートル上にある発電機・加速器等をおさめるナセルまではしごで登るには、熟練者でも20～30分、初心者では１時間ほどかかるそうだ。最終的な取付け工事が進む現場では、４分割されたタワーや下からは小さく見えるナセルの実際の大きさに驚かされるとともに、それらを吊り上げるクレーンの巨大さに文字通り「仰天」した。

続いて、メキシコシティから北西へジェット機で１時間半、車で約30分乗り継いでトロンペゾン太陽光発電所へ向かった。４３２ヘクタールの敷地に３８０ヘクタールにわたって、47万９３７０枚の太陽光パネルが敷き詰められている。合計出力は、なんと１５８・２メガワットに達する。広いを通り越して、実際に地平線まで続くパネルのうねりの前に立つと、大海原を見ているかのような錯覚に陥る。

そのすべてのパネルを、月１回のペースで洗浄する。イタリア製の洗浄専用マシーンは、ガソリンスタンドで見かける洗車機に似ている。初めて目撃した「動く洗車機」の効率よい働きぶりには、興奮を禁じえなかった。

トロンペゾン太陽光発電所は、19年12月に建設工事を完了した。国営電力会社の変圧所建設工事が遅れているため、本格稼働にはいたっていなかったが、見学時点ですでに運転を開始していた。

50万枚近いパネルは、コンピュータによる自動制御で、カチカチと小さな音を立てながら、太陽を追いかけて向きを変える。日照条件の良さも加わって、トロンペゾン発電所の設備利用率は33・6%に達する。これまた、良くて12%程度と言われる日本国内の太陽光発電所の3倍近い高水準だ。

東京ガスとエンジーが共同で展開するメキシコでの再エネ発電事業は、基本的には政府機関への売電契約（PPA）を前提としている。しかし、高い設備利用率もあって、発生電力が価格面で十分な競争力をもつため、自由化されている大口電力市場での相対取引も拡大しつつある。両社の共同事業は、メキシコの二酸化炭素（CO2）排出量削減に貢献するだけでなく、産業競争力強化にも寄与しつつあるのだ。

19年11月に東京ガスが発表した長期経営ビジョンの「Compass2030」は、「CO2ネット・ゼロ」をリードすることを打ち出して、話題を呼んだ。燃焼すれば必ずCO2を排出するメタンガスを主成分とする天然ガスを生業とする都市ガス会社が、「CO2ネット・ゼロ」を標榜したわけであるから、サプライズを生んだのは、当然のことであった。

東京ガスは、①再生可能エネルギー電源の拡大と②ガス体エネルギーの脱炭素化技術開発による「排出ゼロ」と、③天然ガスの有効利用（有効利用による省エネや再エネ電源の出力調整手段としての活用)・④CCUS(CO2の回収・有効利用・貯留)・⑤海外における削減効果の取組みによる「差し引きでゼロ」とを組み合わせて、2050年ごろまでに「CO2ネット・ゼロ」をめざすという。これらの方策のうち①と⑤に深くかかわるのが、海外での再生エネ発電事業である。

東京ガスが推進する海外での再生エネ発電事業において、トリガー的な役割をはたしているのが、ほかならぬメキシコでの大規模太陽光・風力発電事業だ。同社は、Compass2030のなかで、2030年までに5ギガワットの再エネ電源を確保する方針を打ち出している。その中心となるのは、海外での再エネ電源だ。「CO2ネット・ゼロ」をめざす東京ガスの挑戦は、メキシコで幕を開けたと言える。

この東京ガスの動きは、日本のエネルギー業界全体にとって、重要な示唆を与える。都市ガス業界のみならず、電力業界や石油業界、LPガス業界も、本業に携わる限り必然的にCO2を排出せざるをえない。したがって、当然、CCUSへ真剣に取り組むべきだということになるが、CCU(二酸化炭素回収・有効利用)が本格的に実用化されるのは、今世紀半ば以降のことになる。それまでの時期にはCCS(二酸化炭素回収・貯留)を遂行する必要があるが、CCSはEOR(石油増進回収)と結合しないと経済性を確保できないので、油田地帯など実施エリアが限定される。そうだとすれば、エネルギー企業が、国内外での再エネ発電事業、とくに経済性が見込まれる海外での再エネ発電事業に関与することの意義は大きい。東京ガスの動きがエネルギー業界全体に示唆を与えると述べたのは、この点をさしている。

この章の最後に取り上げる**エッセイ㊱**は、ＳＤＧｓ（国連サミットで採択された持続可能な開発目標）が内包する二律背反について論じている。この二律背反の克服は容易ではないが、それへ向けて人類は少なくとも、省エネルギーの推進と再生可能エネルギーの活用という、二つの課題に取り組まなければならないと結論づけている。

《エッセイ㊱》 ＳＤＧｓ（持続可能な開発目標）のジレンマと二つのやるべきこと

２０２０年６月８日発信

地球温暖化対策を進めることは、容易ではない。深刻な二律背反が存在するからである。現在、人類が直面する最大の危機は、何であろうか。それは、残念ながら、今もって、貧困と飢餓である。２０１８年９月に発表された国際連合（国連）の18年版「世界の食料安全保障と栄養の現状」報告書によれば、世界の飢餓人口の増加は続いており、17年には８億２１００万人、つまり世界人口のほぼ９人に１人が飢えに苦しんでいる。貧困と飢餓を克服するためには「豊かさ」が必要であり、「豊かさ」の実現は、多くの場合、化石燃料の消費の拡大をともなう。世界の未電化人口が17年時点で９億９２００万人に達していることを考え合わせると、人類全体が電気のメリットを享受できるようにするためには、石炭や天然ガスの使用量は増加せざるをえない。資源エネルギー庁「昨今のエネルギーを巡る動向とエネルギー転換・脱炭素化に向けた政策の進捗」（２０１９年７月１日）によれば、２０００〜16年に世界で新たに電源へアクセスできるようになった人数は約12億人に達するが、そのうちの71％は、化石燃料を使用する電源にアクセスしたとのことだ。

一方、人類が直面する二番目の危機は、地球温暖化である。15年に開催されたＣＯＰ21（国連気候変動枠組条約第21回締約国会議）でパリ協定が採択されたが、同協定は、世界的な平均気温上昇を産業革命以前に比べて２℃より低く保つこと、さらには１・５℃に抑える努力を重ねることを規定した。16年11月に発効したパリ協定は、気候変動枠組条約に加盟する１９６ヵ国すべてがいったんは参加したという意味で史上初の枠組みであり、地球温暖化に対する人類全体の強い危機感が表明されたものと言える。

地球温暖化対策を有効に進めるためには、温室効果ガスの中心となる二酸化炭素（ＣＯ２）を排出する化石燃料の使用を抑制する必要がある。つまり、人類最大の危機である貧困・飢餓への対策（化石燃料の使用拡大）と、人類第２の危機である地球温暖化への対策（化石燃料の使用抑制）とが、原理的に矛盾するわけである。現在を生きるわれわれは、深刻な二律背反に直面していることになる。

最近街で、円を17分割したカラフルなバッジを付けた人をよく見かける。15年9月の国連サミットで採択された17項目の持続可能な開発目標（ＳＤＧｓ：Sustainable Development Goals）を象ったバッジである。

ＳＤＧｓの17項目の目標は、以下のとおりである。
（1）貧困をなくそう。
（2）飢餓をゼロに。
（3）すべての人に健康と福祉を。
（4）質の高い教育をみんなに。
（5）ジェンダー平等を実現しよう。
（6）安全な水とトイレを世界中に。
（7）エネルギーをみんなにそしてクリーンに。
（8）働きがいも経済成長も。
（9）産業と技術革新の基盤をつくろう。
⑽人や国の不平等をなくそう。

⑾住み続けられるまちづくりを。

⑿つくる責任つかう責任。

⒀　気候変動に具体的な対策を。
⒁　海の豊かさを守ろう。
⒂　陸の豊かさも守ろう。
⒃　平和と公正をすべての人に。
⒄　パートナーシップで目標を達成しよう。

通常、ＳＤＧｓは、第13項目（「気候変動に具体的な対策を」）に重きを置いて理解され、地球温暖化対策が中心的な内容だと思われがちである。しかし、第１項目は「貧困をなくそう」であり、第２項目は「飢餓をゼロに」である。第13項目の達成のためには化石燃料の使用抑制が求められ、第１・２項目の実現のためには化石燃料の使用拡大が不可避である。ＳＤＧｓもまた、二律背反に陥っているのである。

そのことを端的に示すのは、第７項目の「エネルギーをみんなにそしてクリーンに」だ。エネルギーをみんなに届けるためには、化石燃料の使用を増やさざるをえない。しかし、エネルギーをクリーンにするためには、化石燃料の使用を抑えなければならない。第７項目は、それ自体が二律背反を内包していると言える。

人類が直面する二律背反を解決する手立ては、存在するのだろうか。真に解決することにはならないかもしれないが、少なくとも全力をあげて取り組むべき方策が二つある。

第１は、省エネルギー（省エネ）である。省エネとは、「なるべく少ないエネルギー消費で豊かさを実現すること」と定義づけることができる。

第2は、CO2をほとんど排出しないゼロエミッションのエネルギー源を使用することである。ゼロエミッションのエネルギー源としては、再生可能エネルギーと原子力の二つをあげることができる。ただし、原子力には、CO2を排出しないものの、使用済み核燃料の処理が未解決だという大問題がある。したがって、ゼロエミッションのエネルギー源として活用すべきは、まずは再生可能エネルギーだということになる。

人類が直面する二律背反を克服するためには、省エネの徹底と再生エネの最大限活用から始めなければならないのである。

【10年後の状況と今後の展望】

【二律背反を克服する方策としての省エネ】

エッセイ㊱で指摘したように、地球温暖化対策の実施にとって最大のネックとなっているのは、取り組み方によっては、それが、「豊かさ」を求める人間の欲求と矛盾することになりかねないという問題である。そのようなケースでは、いわば、「豊かさ」と「地球救済」がトレードオフの関係になる構図が成立するわけであり、この構図を突き破らない限り、地球温暖化対策の本格的な進展は期待することができない。京都議定書が定めた温室効果ガス排出量削減目標の国別設定の枠組みに中国やインドなどの新興国が参加しなかったのも、目標設定が、自国における「豊かさ」の実現を阻害することをおそれたからであった。

エッセイ㊱の結論部分で言及したとおり、「豊かさ」と「地球救済」とのトレードオフを解消するうえで、省エネルギーの推進は重要な意味をもつ。そうだとすれば、地球温暖化対策を世界規模で展開するうえで、「省エネ先進国」である日本が果たすべき役割は大きい。省エネルギーの推進は、21世紀に日本がなしうる国際貢献のうちで、最も有意義なテーマだと言っても過言ではなかろう。

しかし、このことは、日本が現在の省エネルギー水準に満足してしまってよいことを、けっして意味しない。ここでは、今日の「省エネ先進国＝日本」を築き上げた原動力は技術革新と制度改革を追求する不断の努力であったという、歴史的事実を見落としてはならない。

【トップランナー方式】

石油危機後の日本では、産業界において省エネルギーの取組みが活発化しただけでなく、それを促進するための制度改革も進んだ。１９７９（昭和54）年には「エネルギーの使用の合理化に関する法律」（いわゆる「省エネルギー法」）が制定され、工場・建築物について省エネのガイドラインが設定されるとともに、機械器具（自動車・エアコン等）についてもエネルギー消費効率に関するガイドラインが提示された。この機械器具についてのガイドライン設定は、99年に本格的に導入されることになった「トップランナー方式」につながる、先進的な内容をもっていた。

トップランナー方式とは、自動車の燃費基準や電気製品等の省エネルギー基準を、それぞれの機器においてその時点で商品化されている製品のうちの最も優れた機器の性能以上に設定するという考え方である。このトップランナー方式は、日本が開発したユニークな省エネルギー推進策として、現在、国際的な関心を集めている。

日本では、トップランナー方式を導入してから、いくつかの機器（自動車・電気製品等）が、すでに目標達成年度を迎えた。目標の多くは超過達成されたのであり、トップランナー方式は、各機器のエネルギー消費効率の改善に大きく寄与したと評価できる。

【セクター別アプローチ】

地球全体の温室効果ガス排出量を大幅に削減するためには、排出権取引の導入・拡大など市場メカニズムを活用するだけでは、決定的に不十分である。原子力発電を含む「既存の武器」を活用して時間を稼ぎつつ、省エネルギーの推進や再生可能エネルギーの活用を飛躍的に促進する斬新な枠組みを導入しなければならない。

このうち省エネルギーを促進する枠組みとして、２０１０年代に入って急速に注目されるようになったのが、セクター別アプローチである。セクター別アプローチとは、温室効果ガスの排出量が多いセクター（産業・分野）ごとに、国境を越えてエネルギー効率の抜本的向上を図り、温室効果ガス排出量を大幅に削減しようとする考え方である。二国間クレジット制度を高効率石炭火力発電の技術移転に適用し、ＣＯ２排出量を世界的規模で減らすというエッセイ⓮で取り上げた方策は、セクター別アプローチの典型だと見なすことができる。

セクター別アプローチのメリットは、国ごとに温室効果ガス排出量の削減義務を設定した、京都議定書やパリ協定の枠組みがもつ落し穴をカバーできる点にある。京都議定書の枠組みのように排出量削減義務が課せられている国と課せられていない国とが並存する場合、あるいはパリ協定の枠組みのように削減目標が厳しい国と緩やかな国とが並存する場合には、エネルギー多消費産業・部門が前者の国から後者の国へ移転することによって、結果として、世界全体のＣＯ２排出量が増大する問題が生じうる。これが、「炭素リーケージ問題」である。このような現象が生じるのは、エネルギー多消費産業・部門が移出する側の排出量削減義務が課せられている国ないし削減目標が厳しい国（例えば日本）の方が、移入する側の義務が課せられていない国ないし削減目標が緩やかな国（例えば発展途上国）よりも、総じてエネルギー効率が高いからである。この「炭素リーケージ問題」は、京都議定書やパリ協定の枠組みがもつ重大な落し穴だということができる。

これに対して、セクター別アプローチの場合には、国ごとではなくセクターごとにＣＯ２等の温室効果ガスの排出量削減を図るため、「炭素リーケージ問題」は生じない。セクター別アプローチを採用すれば、エネルギー多消費産業・部門は、エネルギー効率が良い国（排出量削減義務が課せられている国ないし削減目標が厳しい国）にとどまりながら、エネルギー効率が悪い国（排出量削減義務が課せられていない国ないし削減目標が緩やかな国）の同業者・同部門に対して、エネルギー効率向上に資する技術を移転することになる。ここで、エネルギー多消費産業・部門がエネルギー効率の良い国にとどまることが重要なのは、その方が、当面、世界全体のCO2排出量を抑制できるからだけでなく、将来的にも、エネルギー効率のいっそうの上昇をもたらす技術革新が進展する確率が高いからである。

エッセイ⓳で地球温暖化対策を国際的視点に立って推進する必要性があると強調したのは、ここで述べたような考えにもとづくものである。また、セクター別アプローチを採用すれば、**エッセイ⓭**で問題にしたようにアメリカがパリ協定から離脱したとしても、その影響を最小限にとどめることができるであろう。

【LCA（ライフサイクルアセスメント）】

地球全体の温室効果ガス排出量を大幅に削減するために日本が世界へ向けて発信できる切り札は、トップランナー方式とセクター別アプローチのほかにも、もう一つ存在する。第3の切り札に当たるのは、**エッセイ⓳**でも触れたLCA（ライフサイクルアセスメントないしアナリシス）という考え方である。

LCAとは、商品が環境に与える影響を、原・燃料の採取から加工・販売・消費を経て廃棄にいたるまでの全過程を視野に入れて評価する方法である。

LCAの考え方に立って、世界的な規模でCO2削減に取り組んでいる業界としては、化学業界をあげることができる。この考え方に立てば、化学製品を使用することによって、断熱、照明、包装、海洋防食、合成繊維、自動車軽量化、低温洗剤、エンジン効率、配管、風力発電、地域暖房、グリーンタイヤ、太陽光発電などの諸分野で、温室効果ガス排出量を大幅に削減することができる。化学製品の供給量拡大によって製造プロセスでのＣＯ２排出量は増えるが、それをはるかに上回る規模で、使用プロセスを含むライフサイクル全体でのＣＯ２排出量が、軽量化や効率化を通じて減少するからである。

ＩＣＣＡ（国際化学工業協会協議会）が２００９（平成21）年7月のイタリア・ラクイラサミットにあわせて発表した報告書は、ＬＣＡの考え方を世界に広めるうえで、先駆的な役割をはたした。同報告書では、「化学工業により可能となる温室効果ガス排出量削減は、同業界による排出量の2・1～2・6倍に相当し、２０３０年までの削減可能性は4・2～4・7倍に達する」と結論づけている。(注54)日本の化学工業協会は、ＩＣＣＡにおいて、中心的な役割をはたしている。

温室効果ガスの削減にとって、トップランナー方式は、民生部門や業務部門で有効性が高い。一方、セクター別アプローチは、産業部門・発電部門（エネルギー転換部門）・運輸部門でとくに威力を発揮する。ＬＣＡは、これらすべての部門に深くかかわりあっている。ストップ温暖化を真剣に推進するためには、これら三つの切り札を行使することがきわめて重要である。これらを行使することによって日本は、ストップ温暖化の国際的主役となりうるのである。

【「パリ協定に基づく成長戦略としての長期戦略」とカーボンリサイクル】

パリ協定は、２０３０年を目標年次としている。それでは、その先のより長期的視野に立つ地球温暖化対策としては、何をなすべきであろうか。

21世紀半ば以降の地球温暖化対策のゆくえを考えるうえでヒントを与えるのは、日本政府が２０１９（令和元）年６月に閣議決定した「パリ協定に基づく成長戦略としての長期戦略」（以下、「長期戦略」）である。パリ協定が結ばれた15年のＣＯＰ21で政府は、２０３０年までに国内の温室効果ガス排出量を26％削減することを打ち出した。「長期戦略」は、その先の２０５０年以降の方針を示したものである。

「長期戦略」のポイントは、以下の３点にまとめることができる。

(1)「脱炭素社会」を最終到達点として掲げ、それを21世紀後半のできるだけ早期に実現することをめざし、２０５０年までに温室効果ガスを80％削減することに取り組む。

(2)(1)のビジョンの達成に向けて、ビジネス主導の非連続なイノベーションを起こし、「環境と成長の好循環」の実現をめざす。

(3)そのために、エネルギー・産業・運輸・地域／くらし等の分野ごとに施策を講じるとともに、イノベーションの推進・グリーンファイナンスの推進・ビジネス主導の国際展開／国際協力等の

(注54) 以上の点については、ＩＣＣＡ（International Council of Chemical Associations), Innovations for Greenhouse Gas Reduction, 2009 参照。

横断的な方策も推進する。

これらのうちの(1)に盛り込まれた最終到達点として温室効果ガス排出量を実質ゼロにするという方針は、Ｇ７諸国（日本・アメリカ・カナダ・イギリス・ドイツ・フランス・イタリア）の中で日本が初めて明示したものでる。その最終目標を実現するために、政府は、「カーボンリサイクル」という概念を前面に押し出した。

この考え方にもとづき、19年6月、経済産業省は、内閣府・文部科学省・環境省の協力を得て、「カーボンリサイクル技術ロードマップ」を策定・発表した。この「ロードマップ」によれば、カーボンリサイクルとは、二酸化炭素（ＣＯ２）を資源としてとらえ、これを分離・回収し、鉱物化や人工光合成、メタネーションにより素材や燃料として再利用するとともに、大気中へのＣＯ２排出を抑制していく方策である。

この「ロードマップ」の策定に先立って、19年2月、経済産業省は、資源エネルギー庁にカーボンリサイクル室を設置した。同室の発足を伝えたニュースリリース（２０１９年２月１日発信）(注55)のなかで、経済産業省は、次のように述べている。

「２０５０年に向けて化石燃料の利用に伴うＣＯ２の排出を大幅に削減していくためには、あらゆる技術的な選択肢を追求していく必要があります。ＣＯ２の分離・回収や利用に係る技術は、将来、有望な選択肢の一つであり、そのイノベーションが重要です。

こうした観点から、ＣＯ２の分離・回収の効率化、燃料や素材としての再利用、植物工場での活用などを通じ、ＣＯ２が資源として認識され、経済合理的に大気へのＣＯ２排出を抑制する一連の流れをカーボンリサイクルとし、これらを実現するために必要なイノベーションを効果的に推進していくため、資源エネルギー庁長官官房にカーボンリサイクル室を設置します」。

この文章からわかるように、カーボンリサイクルは、「パリ協定に基づく成長戦略としての長期戦略」に盛り込まれた「２０５０年までに温室効果ガスを80％削減する」目標を達成するうえで、きわめて重要な意味をもつ。カーボンリサイクルが完全に実施されれば、ＣＯ２は資源として再利用されるため、火力発電を含む化石燃料の使用によって生じるＣＯ２の排出は、問題でなくなる。**エッセイ⑲**で指摘した長期エネルギー需給見通しと地球温暖化対策計画とのあいだの矛盾そのものが、解消するのである。

［カーボンリサイクルの本格的普及は２０５０年以降］

図１は、カーボンリサイクルとＣＣＵＳとの関係を示したものである。ＣＣＵＳとは、ＣＯ２を回収して貯蔵するＣＣＳと、回収したＣＯ２を利用するＣＣＵ（Carbon dioxide Capture and Utilization）とを合わせた用語である。

この図が示すとおり、回収したＣＯ２を利用すればＣＣＵ、貯留すればＣＣＳとなる。ＣＣＳと結

（注55）　経済産業省ニュースリリース「資源エネルギー庁にカーボンリサイクル室を設置します」、２０１９年２月１日。https://www.meti.go.jp/press/2018/02/20190201003/20190201003.html

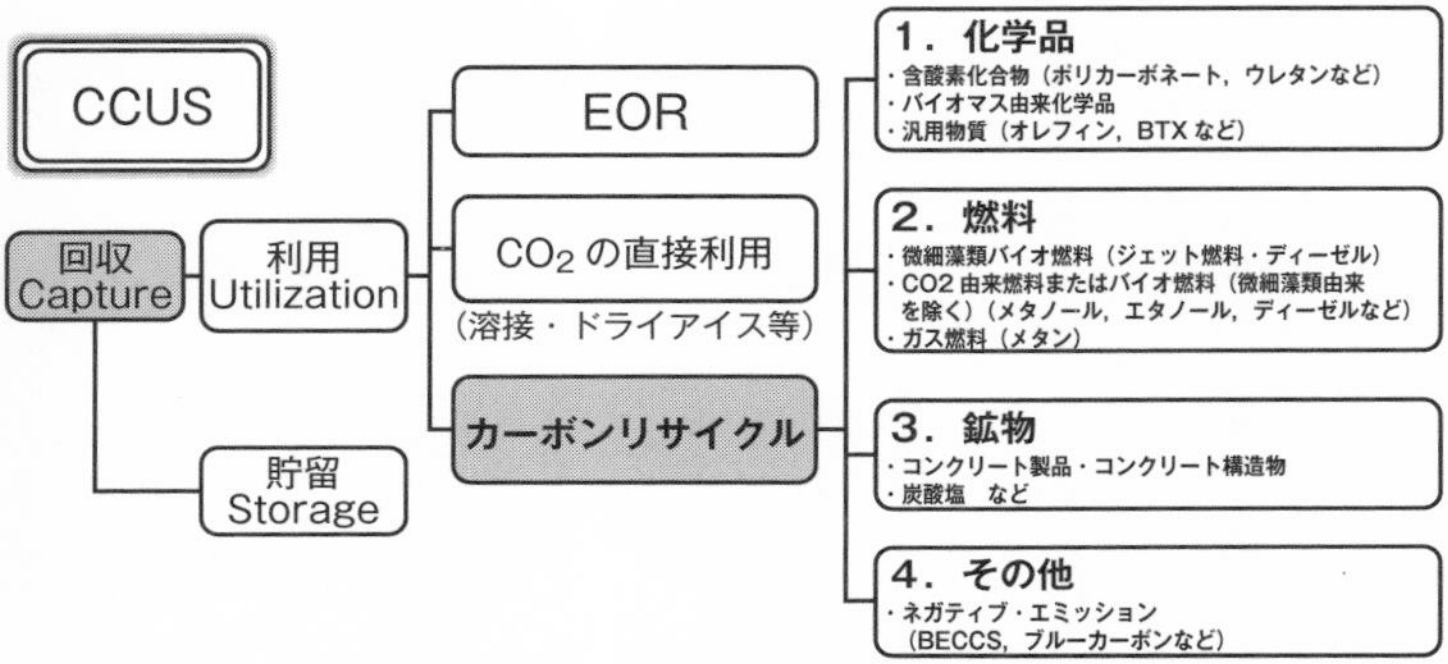

（出所）資源エネルギー庁「昨今のエネルギーを巡る動向とエネルギー転換・脱炭素化に向けた政策の進捗」、2019 年 7 月 19 日、79 頁。

図１　カーボンリサイクルと CCUS との関係

びつければ経済的メリットが生じると**エッセイ㉔**で論じたＥＯＲ（Enhanced Oil Recovery：石油増進回収法）も、ＣＣＵの一つの形態だととらえることができる。溶接やドライアイスなどのようにＣＯ２を直接利用することも、ＣＣＵの一形態である。そしてカーボンリサイクルは、ＥＯＲやＣＯ２直接利用と並ぶＣＣＵの一形態であり、将来的にはＣＣＵの中心的な柱になると見込まれる。カーボンリサイクルの利用形態は、化学品、燃料、鉱物、その他に区分できる。

ただし、ここで見落としてはならない点は、カーボンリサイクルが本格的に普及するのは、２０５０年以降の時期だということである。この点については、「カーボンリサイクル技術ロードマップ」自身が認めている。同ロードマップは、カーボンリサイクルの社会的実装が２０３０年ごろに始まり、それが本格化するのは２０５０年以降だと見込んでいるのである。[注56]

［エネルギー企業の責任］

カーボンリサイクルの社会的実装が本格化するのが２０５０年以降だとすれば、地球温暖化対策計画で打ち出した「２０５０年までに温室効果ガスを80％削減する」という政府方針を実現するためには、他の方策を講じる必要が生じる。ＣＣＵＳ中のカーボンリサイクル以外の方策は、ＣＣＳ、ＥＯＲ、ＣＯ２の直接利用ということになるが、これらのうちＣＯ２の直接利用には量的な限界がある。ＣＣＳとＥＯＲが中心的な方策となるが、ＥＯＲはＣＣＳと結びつけて遂行することができる。**エッセイ㉔**で見たように、ＣＣＳ＆ＥＯＲを世界最大規模で実践しているアメリカのペトラ・ノヴァ・パリッシュ社に、日本のＪＸ石油開発が50％出資していることは、きわめて意義深いと評価することができる。

この事例のように、「２０５０年までに温室効果ガスを80％削減する」ためには、国内の本業においてＣＯ２を排出せざるをえない日本のエネルギー企業が、海外において大胆にＣＯ２排出量削減に取り組むことが求められる。メキシコで大規模に太陽光発電・風力発電を行う**エッセイ㉜**の東京ガスの動きや、オーストラリアで炭坑跡地における再生可能エネルギー発電をめざす**エッセイ㉕**の出光興産の構想は、そのような流れに沿うものである。エネルギー企業の責任は重い。

（注56）この点については、資源エネルギー庁「昨今のエネルギーを巡る動向とエネルギー転換・脱炭素化に向けた政策の進捗」、２０１９年７月１日、43頁参照。

第10章　エネルギー転換

【事実経過】

前章の**エッセイ**㊱で見たように、「人類最大の危機である貧困・飢餓への対策（化石燃料の使用拡大）と、人類第2の危機である地球温暖化への対策（化石燃料の使用抑制）とは、原理的に矛盾する」。「現在を生きるわれわれは、深刻な二律背反に直面していることになる」が、この「二律背反を克服するためには、省エネの徹底と再生エネの最大限活用から始めなければならない」。これらのうち、前者の「省エネの徹底」については、前章で掘り下げた。この章では、後者の「再生エネの最大限活用」に光を当てることにしよう。

東京電力・福島第一原子力発電所事故が起きたのは２０１１（平成23）年3月であるが、10年度の日本において、再生可能エネルギー発電が電源構成に占める比率は9％であった（大半は水力発電）。しかし、8年後の18年度には、その比率は、17％にまで上昇した。(注57)

再生可能エネルギー発電比率の上昇をもたらしたのは、12年7月に導入されたＦＩＴ（Feed‐in Tariff：固定価格買取）制度であった。「固定価格買取（ＦＩＴ）制度の導入により、再生可能エネルギーに対する投資回収の見込みが安定化したこともあり、制度開始後、２０１８年度末までに運転を開始した再生可能エネルギー発電設備は制度開始前と比較して約２・３倍に増加し」（注58）た。

しかし、ＦＩＴ制度は、電気料金の引上げを通じた負担増によって、徐々に国民生活や産業活動に否定的な影響を及ぼすようになった。また、投資の対象がメガソーラー発電に集中する、買取価格が高水準であるため再生エネ発電のコストダウンが思うように進まない、などの問題点も明らかになった。そこで、20年にＦＩＴ制度の抜本的見直しが行われ、再生エネ電源のうち地域活用電源向けにはＦＩＴ制度を維持するものの、競争電源には新たに設けたＦＩＰ（Feed-in Premium）制度を適用することになった。ＦＩＰとは、再生可能エネルギー発電事業者が、市場価格で売電する場合に、割増金（プレミアム）として補助金を受け取る仕組みである。

ＦＩＴ制度の導入にしても、その見直しによるＦＩＰ制度の導入にしても、日本がベンチマークとしたのは、ヨーロッパ諸国の動向であった。そのヨーロッパでは、２０１０年代に、着実に「エネルギー転換」が進行した。エネルギー転換という言葉はいろいろな意味合いを込めて使われているが、本書では、⑴使用時に二酸化炭素を排出するエネルギーから排出しないエネルギーへのシフト、⑵集

（注57）以上の点については、資源エネルギー庁「エネルギー情勢の現状と課題」、２０２０年7月1日、3頁参照。
（注58）経済産業省編『エネルギー白書２０２０』、２０２０年、１４０—１４１頁。

中型のエネルギー供給システムから分散型のエネルギー供給システムへのシフト、という2点が、エネルギー転換の核心だと理解して、議論を進める。

【5編のエッセイ】

エネルギー転換の⑴と⑵は、いずれも再生可能エネルギーの活用と関連しているが、見方を変えれば熱の有効利用ともつながりがある。再生可能エネルギーは、CHP（熱電併給）と結びつけば、電源ともなりうるし熱源ともなりうるからである。**エッセイ㉓**は、この点に関するヨーロッパでの見聞を取り扱っている。

《エッセイ㉓》　CHP（熱電併給）とDH（地域熱供給）：エネルギー対策最先進国では何が起きているのか

2018年11月12日発信

ヨーロッパのエネルギー事業を調査するために、2018年の3月にはスウェーデン、8月に

はデンマークを訪れる機会があった。

世界エネルギー会議（ＷＥＣ）は、三つの指標、つまり「エネルギー・セキュリティ」「エネルギー・エクィティ（エネルギーの利用のしやすさや手ごろな価格など）」「環境持続性（Environmental Sustainability）」にもとづいて、世界各国のエネルギー対策を評価し、ランキングを発表している（Energy Trilemma Index）。ＷＥＣが発表した２０１７年のランキングで１位を占めるのはデンマーク、２位に続くのがスウェーデンだ。

これらの「エネルギー対策最先進国」では、共通して、日本ではまだ部分的にしか行われていない仕組みが本格的に導入されていた。それは、ＣＨＰ（Combined Heat and Power：熱電併給）とＤＨ（District Heating：地域熱供給）だ。このうちＣＨＰは、日本では「コジェネレーション」と呼ばれることが多いが、本質的には熱と電気をあわせて供給する仕組みだから、ＣＨＰと表現する方が正確だろう。

スウェーデンでは、「Waste to Energy」と呼ばれる廃棄物（ゴミ）のエネルギーとしての利用に、力を入れている。同国でも、１９９５年にはゴミの約50％が埋立用に充てられていたが、その比率は２０１７年には１％を切るまでにいたった。ゴミを発電用ないしＣＨＰ用の燃料として利用する動きが急速に広まったからだ。現在、スウェーデンには、Waste to Energy に携わる施設が、約40箇所存在する。イギリスやノルウェーからゴミをスウェーデンに持ち込み、Waste to Energy 方式で活用する事例も増えており、「ゴミ処理のソリューションの提供」は、スウェーデンにとって、重要な外貨獲得源になりつつあると言う。

現場に足を運ぶと、スウェーデンにおけるＣＨＰの大規模な展開に驚かされた。ストックホルム郊外の Bristaverkat Plant では、バイオマス燃料を使う1号機が年間７６３ギガワットアワーの熱と２９３ギガワットアワーの電力を、ゴミを燃料として使用している2号機が年間４９０ギガワットアワーの熱と１２０ギガワットアワーの電力を、それぞれ生産していた。熱・電力ともストックホルム市内およびその周辺地域に供給しているそうだが、ＤＨ（地域熱供給）用の熱供給の導管の総延長は約２５０キロメートルに達すると言う。供給量だけでなく、敷地面積も、想像をはるかに超える規模のＣＨＰ施設であった。

ＣＨＰとＤＨの普及度がさらに高いのはデンマークだ。デンマークでは、「パワー・トゥー・ヒート」という言葉をよく耳にした。「電気から熱へ」あるいは「電気を熱の形で蓄える」という意味だが、これによって、柔軟でかつ堅固なエネルギー供給体制の構築が可能になる。電気が足りないときないし電気の市場価格が高いときには、風力だけでなくバイオマスも電力生産に充てる。一方、電気が余っているときには、再生エネで発電した電力を使って温水を作り、それを貯蔵する。その場合、熱需要が高ければ（例えば冬季）、バイオマスを発電ではなく熱生産に振り向ける。大まかに言えば、このような仕組みだ。

コペンハーゲンのＤＢＤＨ（デンマーク地域熱供給協会）でうかがった話では、デンマークの全世帯における熱源の構成比はＤＨが63％、天然ガスが15％、石油が11％、電気等その他が11％

であり、コペンハーゲンではじつに98％の世帯にＤＨの導管がつながっているという。火力発電設備のうちの66％がＣＨＰであり、その燃料は59％がバイオマス中心の再生エネ、24％が天然ガス、15％が石炭、その他が２％とのことだ（数値はいずれも17年実績値）。全国各地に展開するＤＨないしＤＨＣ（地域冷暖房）の事業主体は自治体で、非営利事業として営まれている。多くはタンクやプールなどの温水貯蔵施設を擁しており、そのなかには、昼夜間調整だけでなく季節間調整（夏期に貯めた温水を冬季に使う）が可能なものもあるそうだ。

ＤＢＨＡは、次世代ＤＨとして、低温供給に取り組んでいる。現在、往き80℃前後、還り40～45℃である水温を、それぞれ50℃、25℃程度に低下させようとしている。これが実現すると、廃熱・ヒートポンプ・太陽熱・地中熱などの活用が広がり、暖房用・給湯用のＤＨから冷房用冷熱供給も行うＤＨＣへの進化が可能になる。

デンマークでは、「自然エネルギーの島」サムソ島に立地するものも含めて、大小さまざまなＣＨＰを見学することができた。その多くは、バイオマス（ウッドチップや藁）や太陽熱をエネルギー源としていた。コペンハーゲンの郊外でＤＨ導管の敷設工事現場を目の当たりにできたことも、幸運であった。そこでは、敷設工事がわずか２名の作業員で行われていることに、少々驚いた。

スウェーデンとデンマークでの調査で強く感じたことは、熱利用の重要性である。エネルギーの将来像に関する日本での議論は、電化に重きを置きすぎるきらいがあり、熱利用に十分な光を当てていない。しかし、わが国でも、電気一本槍から脱却し「電・熱複軸システム」を導入しない限り、エネルギーの未来は拓けないのではなかろうか。

エネルギー転換を別の角度から見ると、分散型供給システムの拡大ということになる。**エッセイ㉘**は、この点に注目したものであり、ニューヨークのマイクログリッドを取り上げている。

《エッセイ㉘》マイクログリッド in NY

２０１９年10月28日発信

２０１９年８月に、アメリカ・ニューヨークで、マイクログリッドにかかわるヒアリングと施設見学を行う機会があった。マイクログリッドとは、既存の大規模発電所からの送電電力にあまり依存せずに、独自のエネルギー供給源と消費施設をもつ小規模なエネルギー・ネットワークのことである。分散型エネルギーシステムの一形態と言える。

ニューヨーク市ブルックリン区にあるナショナル・グリッド社で聞いた話によれば、最近、ニューヨーク州では、マイクログリッドに対する関心が高まっているそうだ。そのきっかけとなったのは、12年に大嵐「サンディ」が同州で、長期にわたる広域停電を引き起こしたことである。その時の経験から、主として電力供給網の強靭性（レジリエンス）確保の観点から、マイクログリッドの価値が見直されたのだという。

関心の高まりを受けてニューヨーク州は、「マイクログリッド・コンペティション」を実施し、このコンペに合格した事業者に総額4000万ドルの補助金を支給することにしている。コンペは実現可能性、設計、実装の3段階に分けて行われ、実現可能性段階では1件10万ドル、設計段階では1件100万ドル、実装段階では総額2000万ドルの補助金が支給される。この制度もあって、ニューヨーク州は、全米で最もマイクログリッドの設備容量が大きい州となっている。

ただし、マイクログリッドを構築することは、それほど容易ではない。ナショナル・グリッド社自身がニューヨーク州北部のポツダムで、水力発電と病院・大学・ホテル・タウンホール・警察署・消防署などを結びつけてマイクログリッドの形成を試みたが、実装には至らなかったという。マイクログリッドには、災害時だけでなく平時でも経済効果をあげることが求められ、コスト面からそれをクリアするのは困難なのだそうだ。

一方、ミドルマンハッタン西部で進行中の大規模再開発であるハドソンヤードにおいては、平時の経済効果という課題が達成され、マイクログリッドが導入された。ザ・リレーテッド・カンパニーズとオックスフォード・プロパティーズによる複合用途の大規模不動産開発であるハドソンヤードの面積は、約11ヘクタールに及ぶ。目を引くデザインの真新しい高層ビルが次々と姿を現し、通称「ベッセル」と呼ばれる8階建てのビル程の高さのある階段状の巨大な遊歩道には、人があふれる。中心部にある商業ビルも賑わいをみせ、ハドソンヤードはニューヨークの新しい観光名所となっている。

そのハドソンヤードでは、天然ガスコジェネを使って、電気・温水・冷水を供給するマイクログリッドが稼働している。発電機等の必要設備は、商業ビルの最上階に設置されている。地下が、大規模な鉄道の操車場となっているためだ。

ハドソンヤードのマイクログリッドは、外部の送電線とはつながっているが、それへの依存度は低い。送電線からの独立性が高い点では東京・六本木ヒルズ地区の地域冷暖房に近く、面的な開発となっている点では東京ガスによるムスブ田町プロジェクトに近い印象だ。

東京やニューヨークの中心部に次々と登場するマイクログリッドは、分散型エネルギーシステムの時代の到来を告げている。

エッセイ㉙は、**エッセイ㉓**から約1年後のデンマークの状況を伝えている。文中に登場する「セクターカップリング」とは、電気と熱などの異なるセクターのあいだでエネルギーを融通することである。**エッセイ㉙**が追求する問いは、エネルギーシフト（エネルギー転換）やセクターカップリングを実現したデンマークから日本が学ぶべきことは何か、というものである。そして、その答えを、

「石炭や天然ガスで時間を稼いで、上手に再生可能エネルギーの時代を切り拓い」たという「『移行戦略』の素晴らしさ」に求めている。

《エッセイ㉙》 デンマークの再生可能エネルギー主力電源化と新世代地域熱供給

2019年11月11日発信

2018年8月に続いて19年9月にもデンマークを訪れ、主として地域熱供給（DH）の最新状況について調査する機会があった。ここで、2年分の調査の結果をまとめておこう。

デンマークでのDHの歴史は19世紀末にさかのぼるが、200℃以上（供給温度、以下同様）の蒸気による第1世代（～1930年ごろ）、100℃以上の加圧高温水による第2世代（～1980年ごろ）、100℃以下の高温水による第3世代（～2020年ごろ）を経て、現在は50℃以下の低温水による第4世代に移行しつつある。時代の進展とともに供給温度が低下しているが、その理由は、①送配熱によるロスを縮小できる、②より多くの種類の排熱・余熱を利用することができる、という2点にある。

1970年代に石油危機が生じたとき、デンマークは中東原油への依存度が高く、エネルギー自給率はきわめて低かった。デンマーク政府は、石油から中東依存度が低い石炭への転換を急ぐ一方、新設する火力発電所はすべてＣＨＰ（Combined Heat and Power：熱電併給、日本では「コジェネレーション」と呼ばれることが多い）とする方針をとった。やがて、自国領の北海で原油・天然ガスが発見、開発され、デンマークのエネルギー自給率は改善されることになった。同時に、ＣＨＰの増設を通じて熱利用も拡大した。１９８０年代半ばには、原子力発電所を将来にわたって建設しないことを決めた。１９９０年代半ばごろから風力発電が急伸し、２０１０年代には太陽光の普及が進んだ。また、デンマークは、周辺諸国との送電連系の構築にも力を入れた。その結果、２０１８年の電源構成は、風力41％、太陽光３％、バイオマス・廃棄物18％、化石燃料23％、輸入15％となった。エネルギー消費全体で見れば、17年の構成は、再生可能エネルギー33％、バイオマス以外の廃棄物２％、石油38％、天然ガス16％、石炭９％、輸入２％であった。また、このうちの再生可能エネルギーの内訳は、バイオマス55％、風力22％、太陽光６％、バイオガス４％、バイオフュエル４％、その他９％だった。

デンマーク政府は、２０３０年までに電源の１００％、エネルギー消費全体の55％を再生可能エネルギーで充当する方針を明確にしている。そして２０５０年までに、エネルギー源としての化石燃料の使用を全面的に廃止することをめざす。そのために例えば、今後10年でＣＨＰでの石炭利用を停止する。また、天然ガスのバイオガスへの転換に力を入れている。

デンマークのエネルギー政策の基本は、化石燃料から再生可能エネルギーへの移行を進めること、および電気と熱を効率的に組み合わせることにある。当然、省エネを推進したうえで再生エネに依存することになるが、再生エネの拡大は消費者の負担が増えない形で実現する。しかも、エネルギーの安定供給はきちんと確保する。そんな夢のような仕組みを可能にする大きな要因の一つは、エネルギー媒体としての熱の徹底的な活用だ。(中略)

デンマークの全世帯における熱源の構成比は地域熱供給(DH)が63%、天然ガスが15%、石油が11%、電気等その他が11%であり、コペンハーゲンではじつに98%の世帯にDHの導管がつながっている。火力発電設備のうちの66%がCHPであり、その燃料は59%がバイオマス中心の再生エネ、24%が天然ガス、15%が石炭、その他が2%であるのだ(数値はいずれも2017年実績値)。全国各地に展開するDHの事業主体は自治体で、非営利事業として営まれている。多くはタンク式やプール式などの温水貯蔵施設を擁しており、そのなかには、昼夜間調整だけでなく季節間調整(夏期に貯めた温水を冬期に使う)が可能なものもある。

デンマークでの調査を通じて、二酸化炭素削減の話題があまり登場しなかったのは、やや意外であった。しかし、よくよく考えると、風力を中心に再生可能エネルギーがすでに主力電源化しているこの国では、もはや地球温暖化対策を中心課題とする必要はなくなっているのかもしれない、と思うにいたった。デンマークでは、いわゆる「3E」のうち、環境保全(Environment)よりも、安定供給(Energy Security)や経済効率(Economy)の方が話題にのぼる回数が多かった。再生エネへの転換も、エネルギー自給率の向上やエネルギーコストの低減という文脈で語られていた。

もう一つ、デンマークで印象的だったのは、石炭や天然ガスで時間を稼いで、上手に再生可能エネルギーの時代を切り拓いてきたという経験談を聞けたことであった。このリアルでポジティブな「移行戦略」の素晴らしさこそ、デンマークの「エネルギーシフト」「セクターカップリング」の本質であろう。日本が、最も学ぶべき点でもある。

デンマークで起きていることを、そのまま日本に持ち込むことは、たしかに難しい。しかし、再生可能エネルギーの主力電源化にしろ、温水による新世代熱供給にしろ、その基本的な考え方は、日本にも適用可能である。電力・ガスの小売全面自由化で始まったエネルギー大競争時代を勝ち抜くのは、「熱を制した者」、そして「分散型を制した者」である。デンマークで実装されている次世代エネルギーシステムを組み込んだビジネスモデルを構築した事業者のみが、大競争時代の勝者となりうることを肝に銘じるべきだ。

エッセイ㉛は、エストニアとオーストリアの事例に言及しつつ、今後のエネルギーシステムのあり方を根本的に変える可能性をもつブロックチェーンについて論じている。ブロックチェーンの社会的実装は、分散型のエネルギーシステムの普及に資するであろう。

《エッセイ㉛》ブロックチェーンと次世代エネルギーシステム：エストニアとオーストリアで見聞したこと

2019年12月23日発信

2019年の3月と9月に、エストニアのタリンとオーストリアのウィーンを、それぞれ訪ねる機会があった。目的は、エネルギーシステムのあり方を根本的に変える可能性があるブロックチェーンが、どの程度社会に実装されているかを確認することにあった。

「分散型台帳」とも呼ばれるブロックチェーンは、複数のコンピュータをつないで分散型ネットワークを形成し、暗号技術と組み合わせて取引情報などを記録する仕組みで、一定期間の取引データをブロックごとにまとめ、それを鎖（チェーン）のようにつないで蓄積することから、この名称がついた。ブロックチェーンの特徴は、①透明性、②分散性、③堅牢性（いったん記録された取引をコピーしたり偽造したりすることはできない）にあり、これらの特徴によって、取引における信用が担保される。

現在のエネルギー取引は、電力会社やガス会社のようなユーティリティ企業が需要家に電気やガスを一手に供給する集中型のB to C（ビジネス・トゥ・コンシューマー）の形をとっているが、ブロックチェーンが社会的に浸透すると、その姿が大きく変わる可能性がある。分散型電源の普及とあいまって、不特定多数の供給者と不特定多数の需要家が直接取引するP to P（ピア・トゥ・ピア）の時代が、やがて到来するかもしれない。そうなったとしても、発電、送配電、ガス貯蔵、ガス導管等は必要不可欠であるから、従来のユーティリティ企業にもはたすべき役割は残る。ただし、その役割は、全体として見れば、大きく後退することになる。

ブロックチェーンの利用で世界の先頭に立つエストニアでは、タリン大学のインキュベーションセンターでスタートアップ企業が入居しているMektory、ブロックチェーン関連ビジネスをエストニアで始めることをめざす外国企業向けにコンサルティング業務を行うOne Office社、決済一元化に必要なデジタル技術を有するCybernetica社で、それぞれヒアリングを行った。また、e-Estonia Showroomでは、エストニアにおけるブロックチェーン利用全般について、説明を受けた。すでにエストニアでは、結婚と離婚および不動産取引を除いて、すべての社会的手続きが手元のスマートフォンを通じて行われている。例えば電気の購入先についても、需要家が、スマートフォン上に掲載される料金等の取引条件を参照しながら、随時、選択を重ねていると聞いた。これらの取引に安心して参加できるのは、ブロックチェーン技術が下支えしているからにほかならない。

オーストリアでは、ウィーン市のシュタットベルゲの傘下でエネルギー供給に携わるウィーン・エナジーで、ブロックチェーンの開発に関するプレゼンテーションを受けた。あわせて、ブロックにデータを記録する装置を開発しているベンチャー企業のお話しもうかがった。また、ウィーン・エナジーがボッシュ社と共同で実証試験を行っているブロックチェーンと連動する冷蔵庫も見せていただいた。オーストリアを代表する「従来型のユーティリティ企業」であるウィーン・エナジーが、「将来への備え」として、ブロックチェーンへの取組みを開始している点が、きわめて興味深かった。

ブロックチェーンのインパクトは大きい。日本の電力会社も、それへの取組みを本格化すべきだ。

2020（令和2）年に発生した新型コロナウイルス（COVID—19）のパンデミック（世界的大流行）によって、全世界でエネルギーに対する需要は急減した。そのなかで、ひとり気を吐き、減少にいたらなかったのが、再生可能エネルギーに対する需要である。パンデミックのさなかに発信した**エッセイ㉟**は、新型コロナウイルス後の世界では、再生可能エネルギーの普及などのエネルギー転換が加速するだろうと見通している。

《エッセイ㉟》　COVID―19のパンデミックが加速させたエネルギー転換

2020年5月25日発信

新型コロナウイルス（ＣＯＶＩＤ―19）のパンデミック（世界的大流行）は、世界経済に対して、１９２９年に発生した大恐慌以来と言われるほどの大きな打撃をもたらした。そして、その衝撃波は、エネルギーの分野にもはっきりと及んだ。生産・販売・サービス提供の縮小や、人々の移動の抑制などによって、エネルギーに対する需要が顕著に減退したのである。

いろいろなエネルギーのなかで、とくに打撃を受けたのは、石油である。サウジアラビアとロシアとの対立によって原油の減産合意が一時的に破綻したこともあって、２０２０年４月20日には、アメリカ・ニューヨーク市場に上場する原油先物のＷＴＩ（ウエスト・テキサス・インターミディエート）の20年5月物が史上初めてマイナス価格をつけるという、異常事態さえ生じた。

新型コロナ・ウィルスのパンデミックが各エネルギーに及ぼす影響について、この原稿を執筆している20年5月時点で正確に見通すことはできない。この時点で入手しうる予測のうち最も信頼できるものは、ＩＥＡ（国際エネルギー機関）が20年4月末に発表した*Global Energy Review 2020*である。同レヴューは、発表時点までの最新情報にもとづき、20年における世界全体のエネルギー源別の対前年比需要増減を、石油マイナス９％、石炭マイナス８％、ガスマイナス５％、原子力マイナス３％、再生可能エネルギープラス１％と予測し、エネルギー全体ではマイナス６％になると見込んでいる。

ここで注目すべきは、エネルギー需要全体が大きく減退するなかで、再生可能エネルギー需要が堅調に推移していることである。今回のパンデミックの発生以前から顕在化していた、使用時に二酸化炭素を排出するエネルギーから排出しないエネルギーへのシフト、集中型のエネルギー供給システムから分散型のエネルギー供給システムへのシフトという大きな流れ、つまり「エネルギー転換」と要約しうる流れは、パンデミックを通じて改めて明確になった。そして、この勢いはパンデミックを克服したのちの世界では、いっそう強まることになるだろう。

加速するエネルギー転換の動きに取り残された感が強い日本政府も、ようやく重い腰をあげ、18年に閣議決定した「第５次エネルギー基本計画」で、２０５０年までに「再生可能エネルギーの主力電源化」をめざす新しい方針を打ち出した。しかし、その一方で政府は、新方針を策定したにもかかわらず、２０３０年の電源構成見通しにおける再生可能エネルギーの比率を上方修正せず、15年に決定したままの水準である22～24％に据え置いた。これでは、政府が「再生可能エネ主力電源化」というスローガンを掲げながらも、それを本気で遂行する気がないのではないかという疑問が生じるのは、当然のことと言える。

「再生可能エネ主力電源化」を本気で実現するためには、何をなすべきだろうか。まず確認しなければならないのは、ＦＩＴ（固定価格買取制度）による拡大ではなく市場ベースでの普及を進めるという、「再生可能エネ主力電源化」への王道に立ち返ることである。

そして、そのためには、二つのアプローチがある。一つは既存の枠組みを維持したままのアプローチであり、もう一つは「ゲームチェンジ」を起こし、新たな枠組みを創出するアプローチである。

既存の枠組みを維持したままのアプローチに関しては、とくに送電線問題を解決して系統制約を解消することが重要である。原子力発電所の廃炉によって「余剰」となる送変電設備の徹底的な活用、電力会社の経営姿勢の変化等がもたらす送電線投資の活性化、スマートコミュニティの拡大や水素の利活用などが進展すれば、送電線問題の解決は可能である。

新たな枠組みを創出するアプローチとしては、電気が足りないときは再生エネを電力生産に充て、電気が余っているときには再生エネを使って温水を作り貯蔵・活用する「パワー・トゥー・ヒート」を普及させることが有意義である。「電気を電気で調整する」方式に代えて「電気を熱で調整する」方式を導入することによって、再生可能エネにかかわるコストを最小化するわけである。

これら二つのアプローチが相乗効果を発揮すれば、日本においても「再生可能エネルギーの主力電源化」は実現しうる。ＣＯＶＩＤ―19のパンデミックを経て世界中で加速するエネルギー転換の流れに、わが国は、もうこれ以上、取り残されてはならない。

【10年後の状況と今後の展望】

［再生可能エネルギーの主力電源化］

エッセイ㉟で述べたように、これからの世界では、エネルギー転換の動きが加速していくだろう。そのなかで、日本のエネルギー需給構造は、大きく姿を変えていくに違いない。

まず、供給面では、再生可能エネルギーの主力電源化が進展する。そのプロセスでは、**エッセイ㉟**で論じたとおり、既存の枠組みを維持したままのアプローチと、「ゲームチェンジ」を起こし新たな枠組みを創出するアプローチとが効果を発揮する。ゲームチェンジを起こすアプローチでは、**エッセイ㉓**と**エッセイ㉙**で言及した「パワー・トゥー・ヒート」を普及させることが有意義である。

日本で最初の電力会社である東京電灯が設立されたのは、１８８３（明治16）年のことである。それから今日までの約１４０年のあいだ、わが国の主力電源は、石炭（国内炭）火力→水力→石炭（国内炭）火力→石油火力→原子力＋ＬＮＧ火力＋石炭（海外炭）火力→ＬＮＧ火力＋石炭（海外炭）火力と変化してきた（注59）。これらのうち再生可能エネルギー発電の一形態である水力発電から石炭（国内炭）火力発電へ主力電源が転換したのは、１９６０年代初頭のことである。もし今後、再生エネの主力電源化が再度実現するとすれば、その時以来の画期的変化となる。

（注59）日本の電力業の発展過程について詳しくは、橘川武郎『日本電力業発展のダイナミズム』名古屋大学出版会、２００４年、参照。

［需要サイドからの調整］

次に、需給調整のあり方自体が変化する。供給サイドから調整だけでなく、需要サイドからの調整が、重要性を増す。

取扱商品である電気を基本的には貯めることができないという特性をもつ電力業では、需要と供給を瞬時に調整し停電を防ぐ系統運用が決定的に重要であるが、これまでの日本では、この調整を、主として供給サイドから行ってきた。しかし、福島第一原発後の10年間に、需給調整を需要側からも行うという考え方が台頭した。これは、本格的なものとしては、日本電力業の全歴史において初めての動きだと言える。

このような動きは、日本だけでなく、世界でも広がっている。**エッセイ㉛**で取り上げたブロックチェーンの活用も、需要サイドからのエネルギー需給調整に一役買うことになるだろう。

［分散型システムの導入・拡充］

さらには、分散型のエネルギー供給システムが広く導入され、拡充していく。これからは、エネルギーの集中型供給システムと分散型供給システムとが並立する時代が、やってくるだろう。

これまでの日本では、集中型系統運用に依存した電力供給システムが構築されてきたが、今後は、それと並行して分散型系統運用を広く普及させることが求められる。福島第一原発事故後、２０１１（平成23）年3月に実施された東京電力供給エリアでの計画停電は、集中型系統運用の弱点を明確にした。18年9月に生じた北海道全域での停電（ブラックアウト）も、集中型システムの限界を露呈した。(注60) これからは、集中型系統運用と分散型系統運用を並立させていくことが大切である。分散型系統運用は、再生可能エネルギーを利用した発電を普及させるうえでも、効果的である。

日本の電力業においては、事業スタート直後の時期には、分散型系統運用が採用されていた。しかし、電源構成の水主火従化にともない、１９１０～20年代を境にして、集中型系統運用が支配的となり、その状態がほぼ1世紀にわたって継続している。集中型系統運用に依存した電力供給システムを改革し、集中型と分散型を並立させる体制に移行することは、けっして容易な作業ではない。分散型系統運用の導入・拡充は、電力需給構造の改革にとって、最大の課題であると言えるだろう。

そして、この課題もまた、日本だけに限定されたものではない。分散型のエネルギー供給システムの導入・拡充は世界的な課題であり、**エッセイ㉘**で見たニューヨークのマイクログリッドも、その一つの表れだと見なすことができる。

(注60) この点については、橘川武郎「経済教室　北海道地震の教訓㊤　北電、分散型電源も追求を　原発未稼働、弁解にならず」『日本経済新聞』、２０１８年10月11日付、参照。

終章　エネルギーの未来

【本書が明らかにしたもの】

本書では、「インパクト」で発信した40編のエッセイを手がかりにして、福島第一原発事故後10年近くのあいだに日本のエネルギー改革は進展したのか、その進展が不十分であったとすれば今後何をなすべきか、という論点を掘り下げてきた。最後に、各章での検証結果を要約しておこう。

第1章の「原子力」では、日本の原子力政策が漂流しており、戦略も司令塔も存在しないという不幸な状況が現出していることを明らかにした。状況を打開するためには、原子力発電所のリプレースを行いながら古い炉を廃止して原発依存度を低下させるという、現実的で柔軟な戦略を明確にするとともに、使用済み核燃料の処理（バックエンド）問題に関して、①抜本的な問題解決のため減容炉・毒性軽減炉の開発を進める、②そのための時間を確保するためオンサイト中間貯蔵を行う、③問題が解決しない場合に備えて「リアルでポジティブな原発のたたみ方」という選択肢も準備する、の3点からなる施策を講じるべきである。

第2章の「エネルギー政策」では、「安倍一強時代」が長く続いたにもかかわらずエネルギー政策の混迷が現出したのは、「首相官邸リスク」によるものだと論じた。「首相官邸リスク」とは、憲法改正をめざし、国会の議席の3分の2以上を必要とした安倍晋三前首相が、選挙への影響をおそれて、原子力問題のようなやっかいな問題について、先送りに先送りを重ねた状況をさす。今後は、このような政治的思惑から離れ、現実的で長期的な視点に立って、きちんとしたエネルギー政策を立案しなければならない。第2章では、このような見地から、2050年の日本における「あるべき電源構成」を展望した。その内容については、この終章の最後に立ち返ることにしたい。

第3章の「電力・ガスシステム改革」では、選挙で票を得やすいという思惑もあって、福島第一原発事故後、急速に進展した電力・ガスのシステム改革に光を当てた。背景はともかくとして、これらの改革自体は有意義なものであり、需要家の選択肢が広がるとともに、電力会社や都市ガス会社のガバナンスが改善されるなどの効果も生んだ。ただし、システム改革の成果を深化させるためには、電力業界ではネットワーク重視型の新しいビジネスモデルが出現する必要があるし、都市ガス業界ではいまだに根強く残る競争回避的な姿勢を払拭する必要がある。

第4章の「シェール革命」では、2010年代に世界のエネルギー供給構造を一変させるインパクトをもった、アメリカにおけるシェール革命に目を向けた。アメリカからのシェールLPガス輸入の急拡大は、日本にEnergy Security面でもEconomic Efficiency面でもメリットをもたらしたが、同様の状況はシェール天然ガス輸入に関しても生じつつある。今後は、シェール原油輸入も、メリットを生むだろう。たしかに、COVID―19（新型コロナウイルス感染症）のパンデミック（世界的大流行）の影響によって、シェール革命の今後の展開に不透明感が広がったことは紛れもない事実であるが、大局的に見れば、多少の廻り道はあるにしても、アメリカの国益にかなう以上、シェール革命は、今後も進展していくことだろう。そしてそれは、日本のエネルギー改革にとっても、歓迎すべき事象なのである。

２０１０年代には、太平洋をはさんでアメリカの対岸に位置する極東・アジア地域でも、ガスをめぐって、大きな変化が起きた。ロシアのアジア向けＬＮＧ輸出の活発化、アジア地域でのＬＮＧ輸入の増加（「第2のガス革命」）とＬＰガス需要の拡大などが、それである。第5章の「極東・アジアの天然ガス事情」では、これらの事象を取り上げた。日本は、ＬＮＧ輸入の先進国であるとともに、ＬＰガス利用の先進国でもある。これらの分野で広く深い知見を有する日本企業は、今後とも、極東・アジア地域のガス市場において、大いに活躍することが期待される。

第6章の「石油産業の成長戦略」では、２０１４（平成26）年に施行された産業競争力強化法の50条適用の第1号となり、あたかも構造不況業種であるかのような扱いを受けた石油精製業の成長戦略について検討した。現実には、日本の石油産業は、①石油のノーブルユースの徹底、②ガス・電気事業への本格参入、③輸出の拡大、④海外直接投資の推進、などの戦略をとれば、これからも成長を続けることができる。２０１０年代には日本の石油元売業界の経営統合が最終局面を迎えたが、肯定的にとらえれば、その本質は、「世界と戦う」態勢づくりにあったと見なすことができる。

第7章の「新機軸」では、メタンハイドレートの開発、東アジア諸国間のエネルギー協力、極東における国際送電連系という、今後起こりうる三つの事象に目を向けた。これらは、すぐに実現することはないが、将来の日本のエネルギーのあり方を大きく変える可能性をもつ。

第8章の「水素」では、2014年策定の第4次エネルギー基本計画で高い位置づけを与えられて以来、日本でも社会的な注目を集めるようになった水素の利活用について掘り下げた。水素の魅力は、「他のエネルギー源と組み合わせれば、他のエネルギー源の弱点を補い、それらのメリットを引き出す役割をはたしうる」点にある。一方で、日本における水素社会の到来には、大きなボトルネックがあることも直視しなければならない。それは、電力業界が水素発電に消極的であるため、水素の大量使用の見通しが立たず、水素インフラの整備が進まないという問題である。それでは水素発電のほかに、インフラ整備と結びつくような水素の大規模利活用策は存在するだろうか。その可能性を有しているのは、水素とCO2から都市ガスの主成分であるメタンガスを作り出すメタネーションである。いずれにしても、エネルギー構造全体を変えるポテンシャルをもつ水素の利活用は、日本の未来を拓くうえで不可欠のテーマであると言えよう。

第9章の「地球温暖化対策」では、15年のパリ協定の採択に象徴されるように、2010年代には人類全体にとって、いよいよ待ったなしの課題となった地球温暖化対策について取り上げた。地球温暖化対策を貧困・飢餓の克服策と矛盾しない形で進めるためには、何よりも省エネルギーの徹底と再生可能エネルギーの最大限活用とに取り組まなければならない。このうち省エネについては、これまでトップランナー方式、セクター別アプローチ、LCA（ライフサイクルアセスメント）などのユニークな施策を国際的に発信してきた日本の役割は、これからも大きい。そして、肝心のCO2排出量削減については、国内だけでなく海外においても成果をあげることが重要である。ここでは、われわれが直面しているのが「日本温暖化問題」ではなく、「地球温暖化問題」であることを忘れてはならない。国内の本業でCO2を排出する日本のエネルギー企業は、二国間クレジット制度を活用するなどして、海外でのCCS（二酸化炭素回収・貯留）や再生可能エネルギー開発に積極的に投資し、国際的責務をはたさなければならない。

第10章の「エネルギー転換」では、地球温暖化対策を進めるうえで省エネルギーの徹底と並ぶもう一つの重要課題である、再生可能エネルギーの最大限活用に光を当てた。2010年代のヨーロッパでは、(1)使用時に二酸化炭素を排出するエネルギーから排出しないエネルギーへのシフト、(2)集中型のエネルギー供給システムから分散型のエネルギー供給システムへのシフト、という2点を核心とする「エネルギー転換」が進んだが、この(1)と(2)は、いずれも再生可能エネルギーの活用と関連している。今後は日本でも、エネルギー転換を推進するため、再生可能エネルギーの主力電源化、需要サイドからのエネルギー需給調整、分散型のエネルギー供給システムの拡充などに取り組む必要がある。

［2050年の日本の電源構成］

このように本書では、「インパクト」で発信したエッセイを手がかりにして、エネルギーの未来に関する展望を、さまざまな角度から提示してきた。最後に、40編目のエッセイを掲げることによって、本書の締めくくりとしたい。**エッセイ㊵**のテーマは、第2章の結論部分でも言及した、2050年の日本における電源構成のあり方である。

《エッセイ㊵》エネルギーの未来：2050年の電源ミックスを展望する

2020年7月27日発信

2021年にも、エネルギー基本計画の改定作業が始まろうとしている。エネルギー基本計画とは、2002年に施行されたエネルギー政策基本法にもとづき策定されるもので、国の中長期的なエネルギー政策の指針を示す役割をもつ。最初のエネルギー基本計画は03年に策定されたが、それ以降、3～4年に1回のペースで改定されてきた。現行の第5次エネルギー基本計画が閣議決定されたのは18年であるから、そろそろ改定の時期を迎えているわけである。

第5次エネルギー基本計画の策定まで効力をもった第4次計画は、11年の東京電力・福島第一原子力発電所事故以降初めての改定を受け、14年に閣議決定された。それを受けて翌15年に決定されたエネルギー長期需給見通しは、30年の電源構成（電源ミックス）を原子力20～22％、再生可能エネルギー22～24％、火力56％とした。第５次エネルギー基本計画においても、この電源構成見通しは維持されることになった。

ここで直視しなければならない点は、エネルギー政策と環境政策にかかわる二つの基本的な閣議決定のあいだに、矛盾が存在することである。第５次エネルギー基本計画が追認した15年策定の電源ミックスでは、２０３０年に火力発電を56％使うことになっている。一方、16年に閣議決定した地球温暖化対策計画では、２０５０年までに温室効果ガスを80％削減することにしている。これらの閣議決定は、明らかに矛盾しているのだ。

50年の日本でも、ある程度、製鉄業は石炭を使用しているだろうし、まだガソリン車・ディーゼル車や灯油の暖房、石油化学産業なども残っている可能性が高い。それらを通じて残りの20％分の排出量が生じてしまうので、本当に国内で温室効果ガスを80％削減するのであれば、電源については、ほぼすべてをゼロエミッション電源にしないといけないことになる。

ゼロエミッション電源には、再生可能エネルギー、原子力、ＣＣＳ（二酸化炭素回収・貯留）付き火力の三つしかない。原発は、リプレース（建て替え）の議論が回避されるなど、きわめて心もとない状況にある。再生エネは、かなり伸長するであろうが、電源のすべてをカバーするのは無理であろう。そうなると、ＣＣＳにもきちんと取り組まなくてはいけないことになる。

しかし、ＣＣＳのうちのＳ（貯留）の適地は、日本国内にあまり存在しない。必然的に海外でＣＣＳに取り組まざるをえず、二国間クレジットのような、外国での二酸化炭素排出量削減のうち日本の貢献分をきちんとカウントする仕組みを導入しなければならない。前記の二つの閣議決定について整合性を取るためには、CCSや二国間クレジットの取組みをすぐに始めなければならないわけであるが、現実にはそのような動きはほとんど進展していない。二つの閣議決定が矛盾していると指摘した理由は、ここにある。

経産省は2030年を語るが、2050年は語らない。環境省は2050年を語るが、2030年は語らない。こういう「からくり」で、これまで矛盾が糊塗されてきただけである。ところが、最近では、2050年を見据える環境省のカーボンプライシングの主張が、勢いを増してきた。そこで慌てて、経産省も2050年のことを語り始めた。このような状況のなかで迎える、今回のエネルギー基本計画の改定である。

第6次エネルギー基本計画の策定に当たっては、今度こそ、「2030年に原子力比率20～22％」などという実現できるはずがない絵空事ではなく、リアリズムに立脚した検討が求められる。その際、有効だと思われるのは、①「原発無し、石炭火力無し」、②「原発無し、石炭火力有り」、③「原発有り、石炭火力無し」、④「原発有り、石炭火力有り」という四つのシナリオを想定し、それぞれのケースで、エネルギー政策の基本となる「S＋3E」について、何が問題になるかを直視するアプローチである。「S＋3E」とは、Safety（危険性の最小化）、Energy Security（エネルギーの安定供給）、Economic Efficiency（経済効率性の向上）、Environment（地球温暖化対策の推進）、のことである。

このような観点から、問題が大いにあると思われる部分に×を付してみよう。

再生可能エネルギーの比率が高くなる①と③のシナリオには、「経済効率性」に×を付けざるをえない。再エネのコストは海外では下がっているとはいえ、国内ではまだまだ高いからである。原発を使い続ける③と④のシナリオでは、リプレースが打ち出されていない以上、「危険性の最小化」に×を付すことになる。石炭火力を使う②と④のシナリオには、CCSが進展しない限り「温暖化対策」に×が付くし、逆に石炭火力を使わない①と③のシナリオには、「安定供給」に×が付される。シナリオごとに整理すると、×が付くのは、①では「安定供給」と「経済効率性」、②では「温暖化対策」、③では「危険性の最小化」と「安定供給」と「経済効率性」、④では「危険性の最小化」と「温暖化対策」、ということになる。

これらの×をいかに解消するかが、リアリティあるエネルギー政策のポイントとなる。現時点での筆者の見立てでは、２０５０年時点でも、④のシナリオが最も有力である。ただし、その時点での電源ミックスは、再生可能エネ50％、火力40％、原子力10％となり、「再生可能エネルギー主力電源化」が達成される。もちろんこの見立てがリアリティをもつためには、再生エネのコスト低減、火力発電でのCCSの徹底、原発のリプレースという、三つの課題が達成されていなければならない。

あとがき

本書を執筆したのは、2020（令和2）年7月のことである。それから2か月後の同年9月に安倍晋三内閣から菅義偉内閣への交代が生じたが、本書では、そのことについて、第2章冒頭の「事実経過」において簡単に言及しただけで、他の部分の内容に関しては変更を加えなかった。と言うのは、この「あとがき」を書いている20年10月の時点で菅内閣は、エネルギー政策を含めて安倍内閣の政策を継承する姿勢を示しているからである。筆者は、本書の内容が菅内閣の成立後も妥当性を維持していると考える。

2011（平成23）年3月11日に発生した東日本大震災にともなう東京電力・福島第一原子力発電所の事故から、まもなく10年の歳月が経過する。事故後10年のあいだに、期待されたエネルギー改革は進展したのか。この問いを検証することが、本書を執筆した動機であった。

残念ながら、この問いに対する答えは、全体として否定的なものにならざるをえない。電力・都市ガスの小売全面自由化など部分的には改革が進展した分野もあったが、肝心の原子力政策は漂流したままであり、エネルギー政策全般について「戦略も司令塔も存在しない」閉塞状態が、今も続いているからである。

しかし、批判ばかりしていても、問題は解決しない。そこで本書では、前著『応用経営史　福島第一原発事故後の電力・原子力改革への適用』（文眞堂、２０１６年）の場合と同様に、具体的な解決策を可能な限り提案するようにした。前著と比較しての本書の特徴をあげるとすれば、それは、視野を世界中に広げ、各国の現場で見聞きした事例から解決策のヒントを得た点に求めることができる。エネルギー改革の方向性に関する筆者の見解に対して、忌憚のないご批判を読者の方々から賜ることができるならば、望外の幸せである。

本書の刊行にあたっては、前著の時と同じように、前野眞司さんをはじめとする文眞堂の皆様にたいへんお世話になりました。ここに特記して謝意を表します。

ＣＯＶＩＤ―19のパンデミックが続く２０２０年秋に記す

橘川　武郎

索　引

【タ行】

【ナ行】

著者紹介

橘川 武郎（きっかわ・たけお）

国際大学大学院国際経営学研究科教授。

東京大学大学院経済学研究科博士課程単位取得退学。経済学博士。

青山学院大学経営学部助教授、東京大学社会科学研究所教授、一橋大学大学院商学研究科教授、東京理科大学大学院イノベーション研究科教授を経て、２０２０年より現職。

経営史学会元会長。

著作は、『日本のエネルギー問題』（ＮＴＴ出版、２０１３年）、『応用経営史』（文眞堂、２０１６年）、『イノベーションの歴史』２０１９年、有斐閣）、『アジアの企業間競争』（文眞堂、２０１５年、共編著）、『外資の経営史』（文眞堂、２０１６年、共著）、など。

フクシマ後10年：
40編のエッセイで綴る
エネルギーの未来

検印省略

二〇二一年三月一日 第一版第一刷発行

著者 橘川 武郎
発行者 前野 隆
東京都新宿区早稲田鶴巻町五三三
発行所 株式会社 文眞堂
〒一六二―〇〇四一
電話 〇三―三二〇二―八四八〇
ＦＡＸ 〇三―三二〇三―二六三八
振替 〇〇一二〇―二―九六四三七番

製作 モリモト印刷

http://www.bunshin-do.co.jp/

ISBN978-4-8309-5100-8 C0033